Desconocidos en la madrugada
KRISTIN GABRIEL

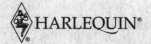

HARLEQUIN®

Editado por HARLEQUIN IBÉRICA, S.A.
Hermosilla, 21
28001 Madrid

I.S.B.N.: 84-671-1965-9
Depósito legal: B-32773-2004
Editor responsable: Luis Pugni
Diseño cubierta: María J. Velasco Juez
Fotomecánica: PREIMPRESIÓN 2000
C/. Matilde Hernández, 34. 28019 Madrid
Impresión y encuadernación: LITOGRAFIA ROSÉS, S.A.
C/. Energía, 11. 08850 Gavá (Barcelona)
Fecha impresion Argentina:1.4.05
Distribuidor exclusivo para España: LOGISTA
Distribuidor para México: CODIPLYRSA
Distribuidores para Argentina: interior, BERTRAN, S.A.C. Vélez
Sársfield, 1950. Cap. Fed./ Buenos Aires y Gran Buenos Aires,
VACCARO SÁNCHEZ y Cía, S.A.
Distribuidor para Chile: DISTRIBUIDORA ALFA, S.A.

1

Josie Sinclair hizo una mueca al abrir la puerta del apartamento y oír el chirrido de los goznes. Entró y cerró con llave, que se guardó mientras debatía si encender o no la luz. No quería hacer nada que alertara a Adam de su presencia.

Por lo menos hasta que estuviera preparada.

La luz de la luna llena entraba por el ventanal y alumbraba el camino hasta la sala de estar. Un siseo rompió el silencio y Josie se llevó una mano al pecho. Pero era sólo Horatio, el siamés de su novio. Se agachó a acariciarlo con el corazón desbocado todavía. Su reacción había sido más nerviosa que de miedo, aunque era la primera vez en su vida que hacía algo así.

El gato, que pareció captar su ansiedad, se apartó de ella y se metió debajo del sofá. Josie se incorporó y sacó del bolso la lista que había hecho en el vuelo desde Tempe. Las listas siempre la hacían sentirse en control y empezó a calmarse en cuanto tachó la primera línea.

1. Ir al apartamento de Adam.

Le había dado la llave una semana atrás, pero no había reunido valor para usarla hasta esa noche. En el largo recorrido desde el aeropuerto de Denver, la habían asaltado las dudas, pero había introducido una de sus cintas de motivación en el walkman y estaba preparada para la acción. O casi. Miró la segunda línea de la lista.

2. Desnudarse.

Se desató el pañuelo de seda que llevaba al cuello con dedos temblorosos y lo dejó caer hacia la bolsa que transportaba en la mano. La tela vaporosa atrajo a Horatio, que saltó de debajo del sofá y se lanzó sobre ella.

Josie intentó quitársela, pero el animal

clavó las uñas en el pañuelo y ella adivinó que era una causa perdida. Hizo caso omiso del gato y de su nuevo juguete y se quitó los zapatos, los pantalones y la blusa. Lo guardó todo bien doblado en la bolsa, sacó un camisón rojo y lo sostuvo ante sí.

La tela transparente y el diseño atrevido dejaban poco lugar a la imaginación, pero la vendedora de la boutique de Tempe donde lo había comprado le había asegurado que a cualquier hombre le parecería irresistible.

Aunque quizá fuera mejor no llevar nada.

Descartó esa idea en cuanto se le pasó por la cabeza. Su cuerpo no era perfecto, tenía un pecho corriente y unas caderas anchas. Ésa era una de las razones por las que quería sorprender a Adam en la oscuridad. El camisón no la cubriría mucho, pero sería mejor que nada.

Después de quitarse el sujetador de algodón, se metió el camisón por la cabeza. El borde acariciaba sus muslos y un estremecimiento recorrió su piel desnuda. Respiró hondo, tomó el bolígrafo y tachó la segunda línea de la lista.

Se había ido de Denver la semana anterior, después de que Adam le dijera que quería que su relación avanzara hasta el nivel siguiente. Josie necesitaba tiempo para pensarlo antes de tomar una decisión final; había aprendido ya que actuar impulsivamente solía conducir al desastre.

Horatio, aburrido ya con el pañuelo, se subió a un sillón y la observó mirar la tercera línea.

3. Perfume.

La minúscula pero cara botellita de perfume que había comprado en Tempe estaba en el fondo de la bolsa, envuelta en varias capas de plástico de burbujas. Según sus investigaciones, ese perfume en particular era el más popular del mercado. Josie se puso unas gotas detrás de las orejas y en las muñecas y el aire se impregnó de aroma a jazmín.

El gato estornudó, saltó del sillón y desapareció en la cocina. Josie confió en que el perfume no le produjera el mismo efecto a Adam.

Llevaban tres meses saliendo, lo cual era casi un récord para ella. La mayoría de los hombres desaparecían en cuanto les dejaba claro que no se acostaría con ellos por el momento. La pasión a menudo volvía irracional a la gente y ella no estaba dispuesta a caer en esa trampa. Una trampa que había destruido a su familia.

Sacudió la cabeza porque no quería que el pasado interfiriera con el presente. Su decisión de acostarse con Adam estaba basada en la lógica y el sentimiento. Le gustaba y parecía poseer las cualidades que ella buscaba en un hombre: estabilidad, sentido común y ética del trabajo. Si además resultaban ser compatibles físicamente, podría empezar a considerar un futuro con él.

Pero lo primero era lo primero. Miró la cuarta línea de la lista.

4. Protección.

Sin duda Adam tendría preservativos, pero ella no quería dejar nada al azar. Había entrado en una farmacia cercana al aeropuerto y había comparado las distintas marcas durante veinte minutos antes de decidirse por una.

La sacó de la bolsa y vaciló, ya que no sabía si llevar la caja entera con dos docenas de preservativos al dormitorio. Sacó uno y lo guardó en la cinturilla de su tanga nuevo de encaje rojo.

Sólo quedaba por hacer una cosa. Res-

piró hondo. Ahora que había llegado el
momento, la asaltaban más dudas todavía.
¿Y si a Adam no le gustaban las sorpresas?
¿Y si no estaba de humor romántico? ¿Y si
ella no le daba placer? ¿O no se lo daba él
a ella?

Eran muchas las variables que no podía
controlar, pero la única alternativa era reti-
rarse y eso lo había hecho ya muchas veces en el pasado. A sus veintisiete años, estaba preparada para aceptar algo en su
vida aparte de su profesión. Había trabaja-
do mucho para pagarse la universidad y se
había graduado con honores antes de hacer un master en Bibliotecas. Ahora quería
dedicar el mismo empeño a su vida personal.

Enderezó los hombros y avanzó hacia el
dormitorio sin que sus pies descalzos hicieran el menor ruido en la alfombra.
Cuando abrió la puerta, la luz de la luna
penetró un poco desde la sala en la oscuridad de más allá, dejándole ver la forma del
cuerpo de su novio en la cama.

Josie cerró la puerta con la boca seca. La
oscuridad aterciopelada que llenaba la habitación la tranquilizó un poco. Soltó el picaporte y avanzó a ciegas en dirección a la

cama, guiada por el sonido de la respiración suave y somnolienta de Adam.

Cuando sus pies chocaron con la cama, supo que había llegado a su destino. De sus labios escapó un gemido suave, seguido del sonido de Adam moviéndose en la cama. Se quedó inmóvil, confiando en ser tan invisible para él como lo era él para ella.

Porque algo le decía que, si se despertaba y encendía la luz antes de que estuviera preparada, no podría seguir adelante con el último y más importante propósito de la lista.

5. Seducir a Adam.

Adam Delaney soñaba con la India y el aroma a jazmín impregnaba el aire mientras bajaba en canoa por el río Alaknanda. Los majestuosos Himalayas se elevaban hacia el cielo azul cobalto y él se deslizaba por el agua mientras un aliento suave de mujer le acariciaba la mejilla.

La canoa se tambaleó y él se despertó lo suficiente como para darse cuenta de que no estaba en un río sino en su cama. El colchón se hundía con el peso de un cuerpo que se movía a su lado. Mantuvo los ojos cerrados, con ganas de perderse de nuevo en el sueño.

Hacía mucho tiempo que no iba a la India. Su caleidoscopio de culturas, gentes y paisajes lo atraía mucho. Igual que lo atraía ahora la chica del sueño al rozarlo con una suave caricia.

Sólo que no era un sueño.

Adam abrió los ojos y unos dedos esbeltos le acariciaron el hombro y bajaron por el brazo. En la habitación reinaba una oscuridad completa. Se volvió hacia la mujer que había al lado y el cuerpo femenino rozó el suyo. Ella dio un respingo y Adam se excitó en el acto al sentir sus curvas y la suavidad cremosa de su piel.

La oyó tragar saliva.

—Sorpresa, Adam —susurró.

Y, desde luego, era una sorpresa. Y en más de un sentido. ¿Quién era ella? No recordaba haber vuelto a casa con una mujer. Había hablado con varias en el bar, pero no recordaba sus nombres; de hecho, recordaba poca cosa aparte de la evidencia de que había bebido mucho.

Pero ahora estaba sobrio, con la mente y el cuerpo bien despiertos. Abrió la boca para preguntarle su nombre, pero ella lo besó en los labios y se colocó encima de él. Sus pechos le apretaban el torso, con sólo una fina capa de tela sedosa entre ambos. La sensación de la seda y la piel femenina en su cuerpo alejó todo lo demás de su mente.

Su beso sabía dulce, inocente y levemente desesperado, su boca se movía con torpeza en los labios de él. Adam le acarició con gentileza las mejillas y rozó con los pulgares las comisuras de los labios de ella hasta que la sintió relajarse encima. Profundizó entonces el beso y aventuró la lengua al interior de la boca de ella.

En ese momento, supo que no había besado nunca a aquella mujer, porque, de haberlo hecho, recordaría su nombre. Pero el deseo superaba a la curiosidad y lo impulsaba a actuar y dejar las preguntas para más tarde. Privado del sentido de la vista, los demás sentidos no tenían más remedio que agudizarse. La acarició, la besó, inhaló su aroma, una mezcla de jazmín y mujer excitada, que encontró aún más embriagador que el alcohol.

La colocó de espaldas con gentileza, besándola todavía, con intención de explorar sin prisa aquel territorio desconocido. La besó en la boca mientras acariciaba su cuerpo exuberante y frotaba los pezones a través de la delgada tela del camisón, hasta que empezó a oír gemidos profundos salir de su boca.

Ella se abrazó a su cuello, se puso de lado, besándolo todavía, y colocó los dedos en su mandíbula sin afeitar. Bajó después suavemente las manos para explorar su torso. Sus dedos bailaban por la piel de él con una caricia suave que lo volvía loco. Siguieron bajando por las costillas y el vientre y se detuvieron en la cinturilla elástica del calzoncillo, sin llegar a tocar la parte que él más deseaba que tocaran.

Adam colocó las manos en el trasero de ella y la apretó contra sí, disfrutando de la frotación del cuerpo femenino contra su pene erecto. No sabía su nombre, pero en ese momento la deseaba más de lo que recordaba haber deseado nunca a ninguna mujer. La necesitaba inmediatamente.

Deslizó las manos debajo del camisón para jugar con su tanga, que rompió sin mucho esfuerzo.

—Espera... —ella dio un respingo y

buscó con las manos el tanga roto en el colchón.

Adam lanzó un gemido y rezó para que no hubiera cambiado de idea. O peor, para que aquello no fuera un sueño y ella se desvaneciera de pronto en la niebla.

Notó que ella le ponía algo en la mano.

—He traído esto —susurró.

Él respiró aliviado al sentir la forma familiar del paquete metálico. Sonrió en la oscuridad. La chica de su sueño había ido preparada.

Se quitó los calzoncillos y se sentó en el borde de la cama. Cuando abrió el paquete, notó que ella se ponía tensa. Se volvió y le besó con ternura la boca y la garganta. Ella respiró suavemente en su oreja y se fue relajando a medida que los labios de él bajaban por su cuerpo. Gimió, se apoyó en la almohada y le introdujo los dedos en el pelo.

Los labios de él bajaron por su cuello hasta la parte de arriba del camisón, donde acariciaron un pezón a través de la tela. Cuando el pezón se puso duro, levantó la cabeza lo suficiente para quitarle el camisón y se inclinó de nuevo para meterse el otro pezón en la boca.

—Por favor —imploró ella, arqueando el cuerpo debajo de él.

—Hum —murmuró él, que compartía su ansia, pero estaba dispuesto a ir con calma. Quería disfrutar de sus gemidos de deseo y sus súplicas, del sabor único de sus besos calientes. Y lo que más deseaba era verla cuando llegara al clímax en sus brazos.

Se movió para encender la luz de la mesilla, pero ella se puso encima antes de que pudiera hacerlo. Se sentó a horcajadas en sus caderas y su pelo le rozó el pecho cuando se inclinó para besarle primero la boca y luego la barbilla antes de pasarle la lengua por el pezón. Le agarró las muñecas con las manos y le subió los brazos por encima de la cabeza.

Adam se esforzó por entregarle el control y dejarle marcar el ritmo. Estaba dispuesto a hacer lo que fuera con tal de que ella no dejara de tocarlo. No sabía si se debía al hecho de hacer el amor en la oscuridad con una mujer anónima o a la mujer en sí, pero estaba muy excitado.

Ella lo llevó hasta el límite con las manos y la boca, le inflamó todo el cuerpo hasta que él ya no pudo soportarlo más. Le agarró las caderas, la colocó encima de él y la penetró con un movimiento fuerte. Emitió un gruñido de satisfacción.

—Sí —suspiró ella.

Él cerró los ojos, casi mareado de deseo. No podía recordar el nombre de ella ni la última vez que se había sentido así, ni si se había sentido así alguna vez. Luego ella empezó a moverse encima y ya no pudo recordar ni su propio nombre.

La chica de su sueño se convirtió en una mujer salvaje, que se movía con un abandono que ponía en peligro el control de él. Se adaptó a su ritmo primitivo y ambos se precipitaron juntos hacia el abismo, impotentes para detenerse o para frenar.

—¡Adam! —gritó ella, agarrándose a sus hombros.

Estaba a punto. Él le abrazó las caderas y se hundió todavía más dentro de ella. Ella echó atrás la cabeza y volvió a gritar su nombre. Él la siguió y se lanzó con ella a una caída libre al abismo con un grito ronco de satisfacción.

Cuando volvió a ser él mismo, la encontró acurrucada contra su pecho. La abrazó y ninguno de los dos dijo nada. En aquel momento, él tuvo la sensación de que sus almas estaban tan unidas como sus cuerpos.

Una reacción ridícula, ya que no recordaba su nombre. Pensó que por la mañana recuperaría el sentido común y cerró los ojos.

Por el momento, prefería disfrutar del sueño.

Josie se despertó sonriente.

Estaba en los brazos de Adam, con la espalda apoyada en su pecho; la barbilla de él descansaba en su cabeza. La luz del sol penetraba, apagada, por entre las cortinas, y lanzaba sombras doradas sobre la cama. La sonrisa de ella se hizo más amplia y apretó su cuerpo desnudo contra el de él. La noche anterior había sido más maravillosa de lo que imaginara. Adam era un amante perfecto. Tierno. Entregado. Sensacional.

Se ruborizó al recordar las cosas que habían hecho. Se había tomado tiempo para excitarla de un modo que no habría creído posible. Y ella nunca se había mostrado tan atrevida con un hombre; nunca se había entregado así. Pero al menos ya sabía lo que quería saber: eran compatibles en la cama.

Su noche juntos la había hecho sentirse más cerca de él que nunca antes. Tan cerca como para contárselo todo sobre su vida, para compartir con él su secreto más doloroso. ¿Pero cómo buscar las palabras adecuadas?

Yo envié a mi padre a la cárcel.

Lo último que quería hacer era llevar el pasado a aquella relación. Pero Adam merecía saber la verdad. Que su madre había dejado a su marido por otro hombre y se había llevado a Josie, de doce años, con ella. Que su padre, Glenn Sinclair, se había vuelto loco al perderlas y había hecho algo terrible, algo que Josie todavía no comprendía del todo.

Glenn había recogido a su hija para pasar el fin de semana con ella poco después del divorcio y le había pedido que lo acompañara en una gran aventura. Ella había aceptado, dispuesta a hacer lo que fuera con tal de volver a ver sonreír a su padre. Y sin darse cuenta de que su madre se pondría histérica cuando ella no volviera a la hora acordada. Sin saber que una niña no podía arreglar un corazón roto.

Pasaron un mes y medio viajando de un estado a otro, sin permanecer nunca mucho tiempo en el mismo sitio. Su padre seguía llamando a aquello una gran aventura, pero Josie echaba de menos a su madre, cosa que no podía decirle a su padre sin hacerle llorar.

Josie había llegado a creer que su padre la necesitaba más que su madre, pero no pudo evitar llamar a casa una noche, sólo para volver a oír la voz de su madre y para decirle que se encontraba bien.

Las autoridades localizaron la llamada y los detuvieron en Missouri. Los llevaron de vuelta a Colorado, donde su padre fue condenado a un año de cárcel por secuestro. Su gran aventura se había convertido en un gran desastre.

Josie cerró los ojos y suspiró, sabedora de que no podía seguir esquivando las preguntas de su novio sobre su familia. Cuanto antes le dijera la verdad, antes podrían seguir adelante con sus vidas. Esa noche habían comprobado que estaban hechos el uno para el otro, había visto que podía confiar en él.

Adam se movió a su lado y Josie sintió una sensación rara en el vientre al pensar en hacer de nuevo el amor con él. Lo estaba deseando y, a juzgar por el bulto que se apretaba contra sus nalgas, él también.

Se volvió a besarlo... y se encontró con la cara de un desconocido.

Lanzó un grito de horror y saltó de la cama, arrastrando consigo la sábana de raso negro. La apretó contra su pecho con el corazón desbocado en el pecho.

—¿Quién eres tú?

El hombre enarcó las cejas y se incorporó sobre un codo.

—Yo iba a preguntarte lo mismo.

No parecía importarle estar desnudo. Flexionó los músculos de los hombros y ella no pudo evitar notar las marcas del bronceado en la cintura y los muslos ni su impresionante erección. Levantó la vista con la cara roja.

Aquello no podía estar pasando. Lo había planeado todo con cuidado. Pero algo había salido mal. Ese hombre no era Adam. Su prometido tenía pelo rubio y ojos azul claro y ese hombre era oscuro por todas partes, con pelo espeso moreno y ojos marrones que parecían atravesar la sábana con la que se tapaba ella.

Ciertas zonas de su cuerpo le recordaron lo que ese hombre le había hecho la noche anterior, lo que habían hecho los dos juntos. Lo miró a los ojos y supo que él pensaba en lo mismo. Tragó saliva y se retiró más todavía de la cama, hasta que su espalda chocó con la pared.

—¿Ocurre algo? —preguntó él, con el ceño fruncido.

Ella respiró hondo.

—Ha habido un error terrible.

Él parpadeó, se sentó en la cama, se volvió de espaldas y se agachó para levantar su calzoncillo azul marino del suelo.

—Es un poco tarde para arrepentimientos, ¿no te parece?

¿Arrepentimientos? Él no podía saber hasta qué punto se arrepentía de lo ocurrido. ¿Cómo se lo iba a explicar a su novio? No la creería. Sobre todo porque los dos hombres eran físicamente muy diferentes.

La oscuridad le había impedido ver esas diferencias la noche anterior, pero debería haber sido capaz de palparlas. Ese hombre tenía el pecho y los hombros más amplios y el vientre muy musculoso. En su defensa, podía decir que nunca había visto a su novio sin ropa y que no esperaba encontrarse a otro hombre en su cama.

—¿Te importa decirme qué haces aquí? —preguntó.

Él la miró como si estuviera loca.

—Vivo aquí.

—Aquí vive Adam Delaney —replicó ella. Reconocía los muebles de madera de roble del dormitorio, el arte africano que colgaba de las paredes y la alfombra persa de colores colocada encima de la moqueta beige.

—Yo soy Adam Delaney —él la miró a los ojos—. ¿No recuerdas que anoche me llamabas por mi nombre?

Ella no estaba de humor para recordar.

—Tú no eres Adam. Yo conozco a mi novio.

Él frunció el ceño, se puso los calzoncillos y se levantó. Era por lo menos diez centímetros más alto que su novio y pesaría unos quince kilos más. ¿Cómo podía haber dejado que ocurriera aquello? Adam jamás la creería.

—Mira —dijo él—. No sé cuál es tu problema, pero yo soy Adam Delaney. Este es mi apartamento. Mi cama.

—Eso es imposible.

—¿Quieres ver algún carnet? —preguntó él. Se acercó a la cómoda, tomó su car-

tera y sacó el carnet de conducir y el pasaporte.

Allí estaban su nombre y su foto. Josie
se preguntó si todo aquello sería una pesadilla. Se volvió y salió a la sala de estar,
donde sacó el pantalón y la blusa de la
bolsa.

Él la siguió.

—Ahora dime quién eres tú y cómo entraste en mi apartamento.

Josie se tapó con la sábana hasta la barbilla y se vistió con rapidez. No tenía intención de darle a aquel desconocido ni su
nombre si ninguna otra información. Ya
conocía demasiadas cosas de ella.

—Hay algo que no encaja —dijo, más
para sí misma que para él—. Yo conozco
este apartamento, conozco a Horatio, conozco a Adam Delaney. Y no eres tú.

—Puedes llamar a mi madre si quieres
—dijo él—. Te dirá que ése ha sido mi
nombre desde el día en que nací hace
treinta años. También te dirá que he pasado cuatro meses haciendo fotos por Suda-
mérica. Regresé ayer.

Tenía que ser mentira. ¿Le habría hecho
algo a Adam? Terminó de vestirse y dejó
caer la sábana al suelo. La blusa estaba

mal abrochada, pero se hallaba demasiado alterada como para preocuparse por eso.

El hombre se acercó a ella.

—Creo que deberíamos empezar de cero.

Josie miró el bulto en sus calzoncillos. ¿A qué se refería exactamente con eso? No pensaba quedarse lo suficiente para descubrirlo. Tomó la bolsa y corrió hacia la puerta.

—¡Eh, espera un momento! —dijo él.

Ella oyó sus pasos y estuvo a punto de tropezar con el gato, pero llegó a la puerta antes que él, la cerró de golpe y corrió al ascensor, situado en el extremo del largo pasillo.

Por suerte, las puertas del ascensor se abrieron en cuanto apretó el botón. Entró deprisa y se volvió a tiempo de verlo salir al pasillo vacío. Iba todavía en calzoncillos y su cara mostraba una expresión confundida.

Pero la confundida era ella. Él afirmaba ser Adam Delaney. Y eso no tenía sentido.

Apretó varios botones en el panel del ascensor, sin importarle dónde terminara siempre que él no la siguiera. Quería alejarse lo más posible de aquel hombre y olvidar lo ocurrido esa noche.

Pero cuando se cruzaron sus miradas en el último instante antes de que se cerrara el ascensor, intuyó que no sería fácil olvidarlo.

En consecuencia, tendría que conformarse con no volver a verlo jamás.

2

Adam seguía mirando las puertas del ascensor mucho después de que se hubieran cerrado. La chica de sus sueños se había ido. Y peor aún, debía de estar loca. También, en cuanto la había visto a la luz del día, se había dado cuenta de que no la conocía de antes.

Adam jamás olvidaba una cara. Y la de ella era única, con ojos verdes y pómulos altos y bien definidos. Él no la habría descrito como guapa, aunque sus labios llenos y la nariz pequeña añadían una dimensión interesante a una cara que despertaba su interés como fotógrafo.

Su modo de seducirlo la noche anterior despertaba su interés como hombre. Le hubiera gustado hacer de nuevo el amor con ella por la mañana, pero el miedo que había visto en sus ojos verdes lo había contenido. A pesar de su gusto por lo peligroso, Adam no perseguía a mujeres contra su voluntad. Ni aunque estuvieran locas.

Volvió a entrar en su apartamento con un suspiro de decepción y un dolor de cabeza causado por las cervezas bebidas la noche anterior. Horatio lo esperaba al lado de la puerta moviendo la cola con impaciencia.

—Podrías haberme avisado —murmuró Adam.

Sin embargo, a pesar de sus palabras, no lamentaba lo ocurrido con su misteriosa dama. Ella le había tocado el alma además del cuerpo, algo de lo que ninguna otra mujer podía presumir. Algo que él no había creído posible.

Abrió el armario para buscar comida de gato y se quedó inmóvil. Los estantes estaban llenos de comida. Latas de sopa y verduras, cajas de cereales, chocolatinas y bolsas de pasta. Y él había dejado los armarios vacíos cuatro meses atrás.

—¿Qué narices pasa aquí?

Horatio contestó con un maullido y se acercó a su tazón vacío. Adam lo llenó y devolvió la bolsa al armario mientras le cruzaban un montón de preguntas por la mente. ¿Cómo había entrado la chica de sus sueños en su apartamento? ¿Cómo sabía el nombre del gato? ¿Y cómo sabía su nombre?

Diez minutos después, estaba vestido y dispuesto a buscar respuestas. Llamó a la puerta del apartamento de enfrente del suyo con la esperanza de que la señora Clanahan fuera una mujer madrugadora. La mujer, mayor, se había ofrecido a cuidar de Horatio mientras Adam estaba fuera y éste, antes de marcharse, había hecho acopio de comida de gato y arena para la bandeja y le había dejado una llave de su apartamento a la mujer.

Quizá ella pudiera explicarle cómo había llegado tanta comida a su cocina. Y cómo había aparecido la mujer misteriosa en su cama.

Un hombre de edad mediana ataviado con una camiseta blanca rota y pantalón corto abrió la puerta. En la televisión se veía un concurso y un olor a carne podrida impregnaba la atmósfera.

—¿Sí? —preguntó el hombre.

—Busco a la señora Clanahan.

—Ya no vive aquí.

—¿Desde cuándo?

—Desde que se cayó y se rompió la cadera hace tres meses. Se fue a Florida con su hija y me realquiló a mí su apartamento.

La señora Clanahan había comentado a menudo lo mucho que echaba de menos a su hija; pensó que era una lástima que hubiera tenido que romperse la cadera para pasar tiempo con ella. Pero ahora tenía que pensar en otras cosas.

—¿Y quién es usted? —preguntó al hombre.

—Clyde Buckley —repuso el otro con impaciencia. Inclinó la cabeza para intentar ver el concurso de la tele.

—¿Y qué hizo la señora Clanahan respecto a Horatio?

Buckley hizo una mueca.

—¿Quién narices es Horatio?

Adam señaló detrás de él con el pulgar.

—El gato de enfrente. La señora Clanahan se comprometió a cuidarlo mientras...

—Ah, sí —lo interrumpió Buckley—, eso formaba parte del acuerdo de realquiler, pero el dueño volvió antes de tiempo.

Y menos mal, porque yo soy alérgico a los gatos.

Adam sintió un escalofrío de aprensión en la columna.

—¿Qué dueño?

—El dueño del gato, el que vive ahí —repuso Buckey, rascándose la tripa—. Delaney. Recogió la llave y me dio veinte pavos por las molestias.

Adam no quería creer lo que oía, pero Clyde Buckley parecía incapaz de inventar nada.

—¿Le pidió que le enseñara algún carnet?

—¿Y por qué iba a hacerlo? Sabía cómo se llamaba el maldito gato. ¿Y se puede saber quién es usted y por qué hace tantas preguntas?

Adam apretó los dientes.

—Soy Adam Delaney. Le dio usted la llave al hombre equivocado.

Buckley sacó la mandíbula.

—¿Ah, sí? ¿Y por qué no se identifica usted?

Adam sacó la cartera por segunda vez aquella mañana y mostró el carnet de conducir y el pasaporte.

Clyde Buckley se inclinó para mirar mejor.

—De acuerdo, aquí dice que usted se llama Adam Delaney. Pero no se parece nada a él.

Todavía no eran ni siquiera las ocho y Adam quería ya una copa, pero el dolor de cabeza le hizo desistir.

—Creo que quiere decir que él no se parece nada a mí.

—¿Eh?

Adam respiró hondo y procuró no perder los estribos. Buckley no tenía la culpa de que un imbécil intentara fastidiarle.

—Dígame qué aspecto tiene.

Su vecino de enfrente miraba de nuevo la televisión.

—¿Quién?

—Delaney.

Buckley volvió la vista a él.

—¿Pero no dice que usted es Delaney?

—Y lo soy. Me refiero al hombre que se hizo pasar por mí.

—¡Ah! —Buckley arrugó la frente—. No me acuerdo mucho. Sólo lo vi un par de veces.

—Inténtelo.

—Alrededor de un metro ochenta. Delgado. Necesitaba un corte de pelo.

—¿Qué más? —Adam quería detalles específicos—. ¿El color de pelo, los ojos? ¿Qué coche conducía? Todo lo que recuerde.

—No sé. Yo no me fijo mucho en la gente.

—¿Lo ha visto alguna vez con una mujer?

Buckley se quedó pensativo.

—De vez en cuando llama una chica a su puerta, pero no me pida que la describa porque no vale la pena recordarla.

En ese caso, no podía ser la chica de sus sueños. Adam se maldijo interiormente por haberla dejado marchar. No sería fácil encontrarla en una ciudad con más de dos millones de habitantes y tal vez ella fuera la única que pudiera responder a todas sus preguntas.

—Tengo que dejarlo —dijo Buckley—. Me estoy perdiendo el programa.

Antes de que Adam pudiera decir nada más, le cerró la puerta en las narices. Volvió a su apartamento con frustración.

Ya no había duda. Alguien se había hecho pasar por él. ¿Pero quién? ¿Y por qué motivo? Registró el apartamento con la esperanza de encontrar alguna pista sobre la identidad del suplantador. Comenzó por el dormitorio, donde lo único que encontró que no fuera suyo fue un calcetín negro detrás de las cortinas.

Cuando entró en la sala de estar, miró las estanterías. Dos libros le llamaron la atención. Se acercó y vio que en el lomo tenían pegado un papel de la Biblioteca Pública de Denver. Los libros no los había sacado él.

—*El éxito a cualquier precio* —leyó en voz alta el título el primero. Miró el otro—. *Cómo cambiar tu vida para siempre.*

En el cuarto oscuro encontró más pruebas. Había sido un dormitorio pequeño, que él convirtió en laboratorio de fotografía para poder revelar las fotos en casa. Varios artículos estaban fuera de su sitio y faltaba una de sus cámaras viejas.

Siguió investigando y revisó los cubos de basura del baño y la cocina. Parecía claro que alguien había vivido allí recientemente. Alguien que se había hecho pasar por él.

Entró en su despacho y abrió el archivador. Todos los archivos estaban en su sitio, pero eso no quería decir que el impostor no los hubiera examinado. Allí estaba descrita casi toda su vida. Cuentas bancarias y

pólizas de seguros, contactos profesiona-
les, nombres, direcciones y números de teléfono de su familia y amigos de su ciudad
natal de Pleasant Valley, en Colorado.

Adam tenía que saber lo que había hecho el impostor con esa información, para
lo cual llamaría a Cole Rafferty, buen amigo e investigador privado, con objeto de
enterarse de hasta qué punto le había es-
tropeado la vida ese tipo. Después llamaría
a su editor de la revista *Adventurer* y le di-
ría que tenía que retrasar el viaje a Nueva
Zelanda. Porque no pensaba ir a ninguna
parte hasta que recuperara su vida.

El lunes por la mañana, Josie entró en la
Biblioteca Pública de Denver muy poco
antes de que se abriera la puerta al público. Siempre puntual y profesional, notó
que los demás empleados la miraban
mientras corría a su escritorio. Sin duda todos se llevarían una buena sorpresa si lle-
garan a descubrir que Josephine Sinclair
había pasado el sábado por la noche en
brazos de un desconocido.

Un hecho que ella no pensaba divulgar.

Pero tampoco podía olvidarlo.

Se sentó a su mesa, enderezó la placa con su nombre y el sacapuntas eléctrico y desenroscó el cable del teléfono. Tenía que volver a poner su vida en orden, pero para eso necesitaba respuestas.

Como bibliotecaria estaba habituada a proporcionar información a la gente sobre temas de lo más extraño. Y ahora era ella la que necesitaba información. Datos sobre Adam Delaney que le dijeran por qué había encontrado a un desconocido en la cama de su novio.

Antes de que terminara la mañana había descubierto lo suficiente para abrir una carpeta, en la que metió números atrasados de la revista *Adventurer* con fotos suyas, y papeles impresos con artículos de periódico que había encontrado en la página web de Pleasant Valley, Colorado, su pueblo natal.

Lo que no había encontrado aún era una foto de él.

Volvió a revisar los artículos del *Pleasant Valley Gazette*, un semanario que se centraba en las noticias locales del pueblo y en el que había encontrado varios artículos sobre las aventuras del héroe del lugar, entre ellas la del rescate arriesgado de un gato siamés en Egipto.

Según el artículo, Adam se había criado en casa en las afueras de Pleasant Valley y siempre le habían gustado los animales, por lo que se había llevado al gato a Denver con él. Josie ya sabía todo eso porque se lo había contado Adam.

Pero no le había hablado nunca del hombre al que había encontrado en su cama el sábado por la noche. Y ella seguía sin saber quién era ni lo que había hecho con su Adam.

El día anterior había enviado varios correos electrónicos a su novio y lo había llamado un montón de veces al móvil, pero él no contestaba.

O no podía contestar.

Reprimió un escalofrío y se dijo que Adam tenía que estar a salvo. Ella no habría podido hacer el amor con un hombre capaz de violencia, ¿verdad? Y menos aún de disfrutar. Lanzó un gemido y enterró el rostro en las manos.

Nunca había tenido aventuras de una noche ni sexo anónimo. Prefería ir sobre seguro tanto en su vida personal como profesional. Y acostarse con un desconocido era un riesgo que sencillamente no estaba dispuesta a correr.

Pero la noche que había pasado en brazos del desconocido seguía en su cabeza por mucho que intentara olvidarla. Se ruborizó. ¿Cómo iba a poder explicarle aquella noche a su novio?

Pero antes tenía que encontrarlo.

Josie levantó la vista de la carpeta y vio al desconocido que quería olvidar entrar por la puerta.

Tomó una revista y la colocó abierta delante de su cara con la esperanza de que él no la hubiera visto. Pero esa esperanza murió cuando oyó pasos que se acercaban a su mesa.

—Disculpe —dijo la voz familiar de él.

—¿Sí? —preguntó ella, detrás de la revista.

Se dio cuenta demasiado tarde de que era un ejemplar de la revista de él. Su mirada pasó de una fotografía aérea espectacular del Gran Cañón al pie de la página, donde se decía que Adam Delaney había hecho la foto desde un paracaídas.

—Espero que pueda ayudarme.

Josie bajó despacio la revista hasta que sólo sus ojos asomaron por encima de ella.

—¿Qué desea?

Él dejó dos libros sobre la mesa.

—Esto estaba en mi apartamento y necesito saber quién los sacó.

—Quizá le ayuden en el mostrador —repuso ella, aliviada de que no la reconociera.

Él vaciló y achicó los ojos.

—¿No nos conocemos?

Ella lo miró, con media cara escondida todavía por la revista.

—No lo creo.

Él la miró a los ojos.

—Eres tú. Eres la chica de mis sueños.

—Difícilmente —bajó la revista y se enfrentó al hombre al que habría querido no volver a ver—. Lo siento, pero tiene que pedir ayuda a otra persona.

Él sacó el pañuelo rosa de ella del bolsillo de la camisa.

—Te dejaste esto en mi casa.

Josie estiró la mano y se lo arrebató, muy consciente de las miradas de algunos de los empleados.

—Por favor, baja la voz. Esto no es momento ni lugar para hacer una escena.

—¿Esto te parece una escena? —sonrió él—. Sólo quiero hablar contigo.

—Aquí no —insistió ella.

—¿Y dónde sí? Tengo todo el día libre.

—Prefiero no hablar de eso en absoluto —le informó ella—. Los dos sabemos que fue un gran error, así que olvidemos lo que pasó.

—Eso no es posible —se inclinó, colocó ambas manos en la mesa y la miró con ojos ardientes—. Un hombre se ha metido en mi vida y me ha suplantado. Yo quiero saber por qué y, te guste o no, tú eres mi única conexión con él.

Estaba tan cerca, que ella podía ver los tonos dorados de sus ojos marrones y la pequeña cicatriz al lado de la comisura de los labios. La misma boca que había probado la suya, sus pechos, la piel sensible del interior de sus muslos... Por un momento le costó trabajo respirar.

—El Adam Delaney que yo conozco jamás haría algo así.

—Pruébalo.

Ella se levantó dispuesta a pelear. Aquel hombre parecía sacar la pasión que había en ella, una reacción que no le gustaba nada.

—Yo no tengo que probarte nada.

—En ese caso, no me dejas otra opción que ir a la policía.

—La policía —repitió ella, segura de haber oído mal.

Él asintió con la cabeza.

—Preferiría no hacerlo, porque querrán saber todos los detalles de lo que sucedió entre nosotros. Que entraste en mi apartamento en mitad de la noche...

—Tenía llave —protestó ella.

—Que te desnudaste y te metiste en mi cama —siguió él, como si no la hubiera oído—. Que incluso traías un preservativo...

—¡Está bien! —gritó ella—. Hablaré contigo. Dime dónde y cuándo.

El hombre miró su reloj.

—Son casi las doce. ¿Por qué no comemos en el Spagli's de Bannock Street? Está cerca de aquí.

Josie no tenía apetito, pero necesitaba acabar con aquello lo antes posible.

—Muy bien. Nos vemos allí.

—Lo estoy deseando —sonrió él.

Josie apretó los puños y lo observó salir. ¿Cómo se atrevía a amenazarla con contar el momento más embarazoso de su vida? Odiaba que tuviera aquel poder sobre ella.

También ella había querido ir a la policía cuando él dijo que era Adam Delaney. Y la había detenido la misma razón que acababa de esgrimir él: que no quería verse obligada a contarles la noche que había pasado en sus brazos.

Además, antes quería hablar con su Adam. Tenía que haber una explicación razonable para todo aquel lío.

Se sentó en la mesa y respiró hondo varias veces, consciente de los murmullos de los empleados del mostrador. ¿Cuánto habían oído exactamente? Era la primera vez que ella levantaba la voz en el trabajo, ya que presumía de controlarse incluso con el público más irritante.

Y ahora ese hombre que se hacía llamar Adam Delaney le hacía perder el control, no una sino dos veces. La primera el sábado por la noche, cuando se derritió en sus brazos. Y la segunda al amenazarla con sacar a la luz su noche juntos.

Y Josie no quería que hubiera una tercera.

3

Adam, sentado en una mesa de Spagli's, se preguntaba qué mujer aparecería, si la chica de sus sueños o el dragón hermético de la biblioteca. Con el pelo recogido y el traje informe le había costado reconocerla. Y su actitud había sufrido también un cambio radical.

Cosa que le parecía muy bien. Él no necesitaba complicar aún más aquel lío deseando a la novia de su impostor, una mujer que, según la placa de su mesa, respondía al nombre de Josephine Sinclair.

Adam se echó atrás en la silla. Nunca

antes había hecho el amor con una mujer que se llamara Josephine; ni tampoco había conocido a nadie como ella, puritana en el aspecto exterior pero caliente y apasionada por dentro.

Cuando la vio entrar en el restaurante, se recordó que podía no ser tan inocente como aparentaba. La observó avanzar hacia la mesa intentando valorarlo con la mirada. Caminaba con paso firme, con la cabeza alta y las mejillas sonrojadas de indignación. Apretaba un bolso gris de piel a juego con el color de su traje. Adam decidió que le gustaba mucho más desnuda.

Miró el movimiento de las caderas y las piernas largas debajo de la falda gris, las mismas piernas que lo habían abrazado mientras lo montaba el sábado por la noche. Al recordarlo se excitó hasta el punto de que le resultó incómodo levantarse a recibirla.

—Muy puntual —dijo.

—Acabemos con esto de una vez —ella se sentó y apartó la carta que tenía delante.

A pesar de su impaciencia, Adam tenía intención de ir despacio.

—¿Pedimos un vaso de vino?

Ella lo miró a los ojos.

—Mira, no sé lo que quieres de mí, pero no creo que esto sea un encuentro social.

—¿Puedo llamarte Jo?

—No, no puedes —replicó ella.

Su frialdad lo intrigaba, aunque sabía que era sólo teatro. ¿Por qué sentía la necesidad de esconderse detrás de esa mujer estirada? ¿A quién pretendía engañar?

—¿Cómo te llamaba el impostor? —preguntó.

—¿Quién? —ella achicó los ojos—. Si te refieres al auténtico Adam, me llama «Josie».

Él se echó hacia delante.

—Yo soy el auténtico Adam Delaney. Así que, si no estás metida en ese complot para robarme mi vida, demuéstramelo.

—¿Cómo? Si de verdad tú eres Adam Delaney, ocurre algo grave.

—Sí, que tu supuesto novio te ha engañado.

Ella levantó la cabeza.

—Ésa es una posibilidad que me niego a considerar.

Adam se preguntó qué clase de hombre podía inspirar tanta lealtad. ¿No sabía ella que los hombres mentían continuamente?

Él mismo lo había hecho a menudo para no herir los sentimientos de una mujer cuando quería terminar con ella.

Tenía la costumbre de decir por adelantado que sólo buscaba pasarlo bien, pero, por alguna razón, no parecían creerle. Todas pensaban que ella podía ser la que le hiciera cambiar de idea y lo llevara al altar y a una vida de normas y responsabilidades. Él había renunciado a eso años atrás, al renunciar a la posibilidad de estudiar Derecho en Yale.

Una decisión que nunca había lamentado. Recordaba bien el día en que su compañero de cuarto en la universidad entró en el dormitorio y le dijo que la revista *Adventurer* había convocado un concurso de fotografía. Hasta entonces las fotos habían sido sólo un hobby para él.

Nadie en la familia Delaney, y él menos que nadie, había pensado que pudiera ser fotógrafo de profesión. Se esperaba que estudiara Derecho y entrara en el bufete de su padre en Pleasant Valley.

Pero todo cambió cuando ganó aquel concurso. Además del premio en metálico, recibió una oferta de trabajo de la revista y tardó tres días en decidir entre el mundo aburrido de las leyes o el emocionante y peligroso mundo de la fotografía al aire libre.

Al final, su ansia de aventuras se impuso a la seguridad de una carrera como abogado.

Su editor lo valoraba mucho porque estaba dispuesto a ir a cualquier parte y hacer lo que fuera preciso por perseguir la foto perfecta. Tenía algunas muy buenas, pero ninguna que lo complaciera por completo; seguía buscando la foto que definiera su carrera y para lograrla estaba dispuesto a colgarse de una montaña en Nepal o bajar en canoa por el Amazonas.

Adam jamás eludía el peligro y la idea de perseguir a su impostor hacía que le subiera la adrenalina. Le gustaban los retos, ya se tratara de perseguir leones en África o seguir la pista a un ser humano.

—¿Por qué has insistido en que nos viéramos? —preguntó Josie—. He mirado los libros que has traído y los sacaron a nombre de Adam Delaney, así que no puedo hacer nada más por ayudarte.

El hombre sonrió.

—Tal vez no, pero quería volver a verte.

—Esto no es una broma.

Adam sintió cierta culpabilidad. Si de verdad la había engañado su impostor, tenían que ser aliados, no enemigos.

Pero antes ella tenía que ganarse su confianza.

—Háblame de tu novio.

—¿Qué quieres saber?

—Todo, pero empecemos con lo más básico. La descripción física.

—No se parece nada a ti. No es tan alto, tan grande ni tan...

—¿Bueno en la cama? —aventuró él.

—Iba a decir maleducado —replicó ella, ruborizándose—, pero no quería ofenderte, aunque es evidente que no debería haberme preocupado por eso.

Adam no quería avergonzarla, pero los modales austeros de Josephine lo provocaban y no podía evitar querer que se ruborizara e intentar ver en ella un asomo de la mujer apasionada que sabía que en realidad era.

—Continúa. ¿Qué más puedes decirme del señor Perfecto?

—Yo no he dicho que sea perfecto, pero es muy responsable y maduro.

—O sea, aburrido.

Ella levantó la barbilla.

—Al contrario; mi Adam es todo lo que una mujer pueda desear en un hombre.

—Excepto porque los últimos meses ha vivido con mi nombre, en mi apartamento y con mi gato.

—Sobre eso sólo tenemos tu palabra.

Adam se encogió de hombros.

—Ya te he dicho que puedes llamar a mi madre. ¿Qué más puedo hacer para probar que digo la verdad?

—Dime algo de Adam Delaney, de su pasado, su trabajo, su vida... Porque yo he investigado un poco y seguramente me sé su vida mejor que tú.

—Nací en Pleasant Valley —sonrió él—, un pueblo de cinco mil doce habitantes. Mis padres son Lila y Steven Delaney. Mamá es cocinera en el instituto y mi padre es abogado.

—Todo eso es fácil de encontrar. ¿Por qué no eres más específico?

—Quizá deberías haber interrogado así a mi suplantador antes de empezar a salir con él.

—Quizá tú deberías decirme más detalles personales sobre Adam Delaney —ella enarcó las cejas—. ¿O no sabes ninguno?

Él aceptó el reto.

—Me rompí el tobillo jugando al béisbol en el último curso de instituto, pero ganamos el torneo de todos modos. Estudié Justicia Criminal en la Universidad de Colorado y me admitieron en la Facultad de Derecho de Yale, pero decidí dedicarme a viajar por el mundo.

Ella no dijo nada, pero el color desapareció de sus mejillas.

—Sé que me crees aunque no quieras admitirlo —dijo él con suavidad.

Josie movió la cabeza.

—No sé qué creer. Todo eso puedes haberlo encontrado en los archivos del *Pleasant Valley Gazette*.

—Mi impostor también —repuso Adam, dispuesto a terminar aquella batalla entre ellos—. Mira, la verdad es que ese tipo nos ha timado a los dos. Yo no pienso permitirle que se salga con la suya, quiero encontrarlo y quiero que tú me ayudes.

Ella abrió mucho los ojos.

—¿Y cómo puedo ayudarte yo?

—Supongo que tiene que ser alguien que conozco, alguien que sabía que yo estaría varios meses fuera del país. Hasta sabía que el vecino de enfrente se ocupaba del gato. Fue él el que le dio la llave.

—Pues dile a tu vecino que te ayude.

—Ya lo he probado. No sabe nada. Tú eres la única que puedes ayudarme, Jo.

—Josie —corrigió ella—. Y yo no quiero mezclarme.

—Demasiado tarde. Te mezclaste en el momento en que te metiste en mi cama.

La joven se levantó.

—Un momento que intento olvidar y te sugiero que hagas lo mismo.

Pero él no estaba dispuesto a permitir que volviera a marcharse.

—Es tu elección. O me ayudas voluntariamente o me veré obligado a buscar información por otros medios, como hablando con tus compañeros de trabajo, por ejemplo. Con tus amigos, tu familia, con cualquiera que pueda haberos visto juntos.

Josie lo miró con furia.

—¿Y qué les dirías? ¿Que he salido con un impostor? ¿Que tú y yo...?

—Haré lo que sea preciso para encontrar al que ha hecho esto.

Los ojos verdes de ella echaban chispas.

—¿Esto es un chantaje?

Adam pensó en ello un momento.

—Sí.

Ella lo miró con odio.

—Eres despreciable.

—Pero nunca aburrido.

Josie salió del restaurante sin añadir ni una palabra más. Él la siguió, muy consciente del cuerpo exuberante que había bajo aquel traje aburrido. Tal vez lo llevaba por eso, para mantener a raya a los hombres como él. Sin duda lamentaba la noche íntima que habían pasado juntos.

Noche en la que él no podía dejar de pensar, cosa que le sorprendía, ya que raramente se regodeaba en recordar aventuras de una noche. Pero, por algún motivo, esa vez era distinto, lo cual podía explicar su reacción a ella. Siempre le habían gustado los retos.

La alcanzó en la acera.

—Quiero una respuesta.

Josie siguió andando.

—Pues lo siento, pero tengo que volver al trabajo.

—Y yo tengo un encargo esperándome al otro lado del mundo. Puede que sea una molestia para los dos, pero necesito encontrar a ese impostor para poder seguir con mi vida. ¿Me ayudarás?

Ella se volvió a mirarlo.

—No puedo ayudarte. No sé dónde está Adam. Y me refiero a mi Adam.

—Los dos necesitamos respuestas —dijo él—. Por eso deberíamos buscarlo juntos.

Ella enarcó las cejas con escepticismo.

—¿Y cómo propones que lo hagamos?

—Muy sencillo. Yo te presentaré a todo el mundo que conozco en Denver. Ese tipo tiene que conocerme, sabe detalles personales de mi vida. Cuando veas a tu novio, me lo señalas.

Josie vaciló.

—¿Y después?

—Después no tendremos que volver a vernos.

Josie lo miró y resistió la tentación de pasar la mano por la sombra de barba que cubría su mandíbula. Estaba demasiado cerca y le impedía pensar con claridad, pero no quería apartarse ni dar muestra alguna de sentirse abrumada. Un hombre como Adam lo usaría en provecho propio y ya parecía tener todas las ventajas, lo cual la dejaba atrapada en una trampa de la que no podía escapar.

Una trampa en la que se había metido ella.

—Muy bien —dijo al fin, sabedora de que no tenía otra opción—. Cuanto antes acabemos con esto, mejor. Te ayudaré.

—Me alegro —declaró él, con un asentimiento de aprobación—. Empezaremos esta noche.

—¿Qué empezaremos exactamente? —preguntó ella con recelo.

—La caza.

Vio el brillo de anticipación en los ojos oscuros de él y se preguntó si aquello no sería sólo un juego para él, otra aventura que añadir a su extensa colección.

Josie había tenido aventuras suficientes de niña para toda la vida. Ahora quería estabilidad, un buen trabajo, una casa que pudiera considerar su hogar y un hombre que le hiciera sentirse segura. Como su novio. Todo lo contrario del hombre que tenía delante y que podía provocar en ella sentimientos apasionados que no sabía que existieran. Sentimientos que no deseaba.

La pasión había hecho que su madre dejara a su padre por otro hombre. Había hecho que su padre la secuestrara por desesperación y venganza. La pasión había destruido a su familia, pero ella no se dejaría gobernar por ese sentimiento. Ella podía controlarse por mucho que la provocaran.

—Nos veremos en mi apartamento a las siete —sugirió él—. A menos que quieras que te recoja en tu casa.

—No —declaró ella, que no quería que él invadiera su casa... y su vida—. Nos vemos allí a las siete.

Bajó de la acera a la calzada y al tráfico. Sonó un claxon muy cerca y algo la levantó en vilo.

Un segundo después estaba en los brazos de Adam, que la estrechaba contra sí en la acera.

—Ha faltado poco.

Josie tardó un momento en poder hablar. Seguramente acababa de salvarle la vida, pero también había sido la razón de que ella se metiera en el tráfico sin mirar.

—Supongo que debo darte las gracias.

—No te molestes —él arrugó la frente—. Probablemente sea culpa mía.

—Sí —asintió ella, distraída por la caricia suave de los dedos de él en la mejilla. Quería cerrar los ojos y disfrutar de esa sensación, dejar que él espantara el miedo y la incertidumbre que la embargaban.

Adam la abrazó con más fuerza y Josie sintió todo su cuerpo en contacto con el de ella. Se movió un poco para acoplarse mejor a él antes de recuperar el sentido común y apartarse.

—Tengo que volver al trabajo.

—¿Seguro que estás bien?

—Segurísimo —mintió ella.

Se volvió y esperó a que cambiara el semáforo. Miró la calle en ambas direcciones y cruzó sintiendo los ojos de Adam fijos en ella.

Cuando llegó a su mesa, había recuperado ya completamente el control... hasta que Evelyn Myerson, la bibliotecaria jefe, se acercó a ella.

—Han dejado un mensaje para ti —dijo. Le tendió una nota.

Josie tomó la nota, consciente de que Evelyn seguía en pie delante de su mesa mientras la leía. El mensaje no era de su novio, sino de su madre, que quería saber por qué no había ido a comer el domingo.

Suspiró. El shock de despertarse en la cama con el hombre equivocado le había hecho olvidar por completo la invitación de su madre.

—Gracias —dijo. Guardó la nota en el bolsillo de la camisa.

Evelyn se acercó un paso más y bajó la voz.

—Pareces distraída —musitó—. Confío en que estés bien.

La bibliotecaria jefe había valorado siempre mucho el trabajo de Josie. Era una mujer que no toleraba hábitos de trabajo desordenados ni desorganización. Era una viuda sin hijos que había hecho de la biblioteca su vida.

—Estoy bien —le aseguró Josie.

Evelyn suspiró.

—Haces un trabajo excelente y no tengo quejas en ese aspecto. Pero debo pedirte que te ocupes de tus conflictos personales en tu tiempo libre. Si necesitas unos días libres, creo que puedo arreglarlo.

Josie apretó la mandíbula, segura de que Evelyn había presenciado su altercado de la mañana con Adam.

—Eso no será necesario —repuso—. Lo de esta mañana no volverá a ocurrir.

Evelyn se enderezó.

—De acuerdo.

Se alejó y Josie llamó a su madre para disculparse por haberse perdido la comida y a continuación intentó concentrarse en su trabajo, tarea que le resultó imposible.

Se dijo que al día siguiente estaría mejor. Necesitaba tiempo para asimilar las nuevas complicaciones que había en su vida y lidiar con ellas de un modo lógico y racional.

A partir de esa noche, procuraría no perder el control en ningún aspecto. No se dejaría alterar por nada de lo que Adam dijera. Lo del sábado había sido un error que no podía repetirse.

Por mucho que le apeteciera.

4

Adam no estaba seguro de que aparecería Josie hasta que oyó el timbre de la puerta a las siete en punto. Se enderezó la corbata y se acercó a la puerta con curiosidad. ¿Quién estaría al otro lado? ¿La estirada Josephine o la dulce y sexy Jo?

La contradicción entre ambas lo intrigaba. Suponía un reto. Pensaba más en ella que en el hombre que había secuestrado su vida. ¿Qué clase de mujer había sido para su novio? ¿Se había metido en su cama con él?

Abrió la puerta y la miró. Llevaba un

vestido azul marino hasta debajo de las rodillas, un vestido apropiado para un fune-
ral.

Pero sus intentos por ocultar su sensua-
lidad parecían producir el efecto contrario
en él, que la encontraba erótica de todos
modos y se preguntaba qué habría que hacer para que perdiera la compostura.

—¿Puedo pasar? —preguntó ella.

—Por supuesto —él abrió más la puerta. Horatio apareció detrás de él y se frotó
contra los tobillos de ella.

Adam la vio agacharse a acariciar al
gato. Horatio siempre había sido muy dis-
criminatorio con las mujeres y a la mayoría
no las miraba dos veces, pero era induda-
ble que aquélla tenía algo que lo atraía.

Y también tenía algo que atraía a su
dueño.

—¿Quieres beber algo antes de irnos? —
preguntó.

—No, gracias —ella se incorporó—.
¿Adónde vamos?

—Hay una fiesta de aniversario en la redacción. Nada del otro mundo. Hoy hace
diez años que salió el primer número de
Adventurer, así que es una excusa para comer y beber a cuenta de la empresa.

—¿Y cómo explicarás mi presencia?

—No hace falta, eres mi acompañante.

Ella frunció el ceño.

—¿Me parezco a las mujeres con las que sales habitualmente?

En absoluto. Generalmente prefería pelirrojas con un coeficiente intelectual bajo, no rubias listas que le hicieran pensar mucho. Josephine Sinclair destacaría bastante en la redacción, donde casi todos los empleados eran más jóvenes que él, veinteañeros a los que les gustaba vivir al límite.

—¿Con qué clase de mujeres crees tú que salgo?

—Mujeres tipo muñeca Barbie, pero con pechos más grandes —aventuró ella, acercándose bastante a la verdad.

Adam se llevó una mano al corazón.

—Soy un hombre de buen gusto, refinado. Me gustan todo tipo de mujeres siempre que me estimulen intelectualmente.

Ella achicó los ojos.

—¿De verdad?

—No, la verdad es que has acertado la primera vez. Pero esto último quedaba bien.

—Para ti todo es un juego, ¿verdad? —preguntó ella, acusadora—. Y encontrar a tu supuesto suplantador también. Todo esto te divierte.

—Una vida que no sea divertida no merece vivirse —repuso él. Le abrió la puerta—. ¿No estás de acuerdo?

—La diversión tiene su lugar —ella salió al pasillo—. Yo siempre incluyo actividades divertidas en mi agenda.

—¿Las planeas? —preguntó él con una mueca—. La diversión tiene que ser espontánea, como cuando te metiste en mi cama el sábado.

Ella se detuvo delante del ascensor.

—Me gustaría que dejaras de lanzarme eso a la cara.

Adam la miró, extrañamente dolido por sus palabras.

—No lo he dicho para insultarte. Aquella noche me divertí de verdad. Y tú también.

Se abrió la puerta del ascensor y ella entró la primera.

—No quiero hablar de eso.

—Yo creo que deberíamos hacerlo —se cerró la puerta y el ascensor empezó a bajar—. Porque esa noche parece ser un problema para ti.

—¿Un problema? —repitió ella, levantando la voz—. Di mejor un desastre completo.

—No estoy de acuerdo.

—No te he preguntado tu opinión.

Adam pulsó el botón de Stop y el ascensor se detuvo.

—En ese caso tendré que demostrártelo.

Josie lo miró tres segundos.

—¿Qué te crees que haces?

Él se acercó a ella.

—¿Me tienes miedo?

—Por supuesto que no —replicó ella, aunque sentía un calor repentino y asfixiante.

—Entonces debes tenerte miedo a ti misma.

—Eso es ridículo.

—¿Seguro? —estiró una mano y le pasó el dedo por la mejilla.

Josie no quería reaccionar de ese modo, pero todos los músculos de su cuerpo se tensaron cuando él bajó la cabeza hacia su boca. Su espalda chocó con la pared del ascensor y una gota de sudor bajó entre sus senos.

Pero no la besó, sino que permaneció

con los labios a muy poca distancia de los suyos. Sus cuerpos no se tocaban, pero el aire entre ellos hervía de electricidad caliente.

—Lo sientes, ¿verdad? —susurró él, con los ojos clavados en los de ella.

Josie tragó saliva. Quería negarlo, pero su cuerpo palpitaba de deseo al recordar la última vez que la había besado y acariciado. Un líquido caliente brotó entre sus muslos y por un momento consideró la posibilidad de besarlo y frotar su cuerpo contra él para aliviar la presión deliciosa que se acumulaba en su interior.

Cerró los ojos y se dijo que estaba jugando con ella. Que los hombres como Adam usaban la pasión como un arma, un arma que bien podía destruirla.

Sonó un timbre de alarma, que indicaba que alguien esperaba el ascensor en otro piso. Ella abrió los ojos y vio que él se había desplazado a una distancia segura. Respiró hondo. Sentía la boca seca y lo maldijo por afectarla de aquel modo. Ella no estaba allí para divertirlo.

—Si vuelves a hacer algo así, no te ayudaré —dijo.

Él la miró como si fuera un rompecabezas que no podía entender. Sin duda sus mujeres disfrutan con esos juegos de seducción. Al pensar en las mujeres que seguramente compartían su cama se le encogió el estómago y luego se dijo que no le importaba. ¿Cómo iba a importarle si aquel hombre era prácticamente un desconocido?

Ninguno de los dos volvió a hablar hasta que llegaron a la redacción de la revista *Adventurer*. Estaba situada en LoDo, en una zona céntrica de Denver donde estaban los restaurantes, clubs y bares más caros de la ciudad.

La zona de recepción estaba llena de gente y Adam le puso una mano en el codo al salir del ascensor.

—¡Adam! —una pelirroja pechugona se acercó a ellos con un vaso alto en cada mano. Parecía muy joven y molesta porque Adam apareciera acompañado.

—Hola, Shondra —dijo él.

La chica le tendió un vaso.

—Bienvenido a casa. He preparado el té frío irlandés de mi bisabuela para la ocasión.

—Gracias —Adam tomó el vaso y se lo tendió a Josie—. Te presento a Josie Sinclair. Jo, ella es Shondra O'Conner, la directora artística de la revista.

Josie sonrió, y apretó los dientes cuando Adam le pasó un brazo en torno a la cintura.

—Encantada de conocerte.

—Lo mismo dijo —Shondra la miró abiertamente—. ¿Desde cuándo salís juntos?

—Desde que he vuelto —repuso Adam.

Shondra volvió su atención a él.

—Háblame de Río.

Josie tomó un sorbo del té frío y le sorprendió el fuerte sabor a menta. No le gustaba especialmente la menta, pero tenía tanta sed que le daba igual. Tomó un segundo trago y miró a su alrededor.

La mayoría de los presentes parecían más jóvenes que ella. Y también más despreocupados. Suponía que cualquier que trabajara para esa revista no podía tomarse la vida muy en serio. Como Adam, quien en ese momento hablaba de parapente en Brasil.

Pero una cosa resultaba evidente. Aquel hombre era Adam Delaney. Todos allí parecían conocerlo. Varias personas lo habían saludado agitando la mano o le habían hecho el signo de la victoria al pasar.

Lo que implicaba que su novio le había mentido desde el principio. Y aunque ya sospechaba que había sido así, una parte de ella quería aferrarse a que había tenido un buen motivo para ello.

Pero para descubrirlo tendría que encontrarlo.

Tomó otro trago del té de menta y se esforzó por no sentirse muy fuera de lugar. Allí todos parecían conocerse y no parecía posible que su novio estuviera entre ellos. Sin embargo, Adam sostenía que su impostor era alguien al que conocía.

Se separó de él y empezó a moverse por la zona de recepción. Varias personas la miraron con curiosidad, sin duda porque les sorprendía que fuera con Adam.

Terminó el vaso de té y aplastó un cubito de hielo con los dientes. Se había saltado la comida y la cena y sabía que debería comer algo, pero los aperitivos no le llamaban la atención. Dudó un momento entre el sushi y el pulpo y acabó optando por rellenar el vaso de té de menta.

Con él en la mano, miró a su alrededor. Grandes murales de fotografía cubrían las paredes. Escenas de junglas, montañas y gargantas profundas. Lugares exóticos a los que Adam seguramente habría viajado en sus encargos de trabajo. Lugares sobre los que ella sólo había leído en los libros. La gente hablaba de paracaidismo y parapente, o de un encuentro peligroso con un elefante macho en la India.

Reprimió un escalofrío y bebió más té. Aquellas personas parecían disfrutar del peligro y ella siempre hacía lo posible por evitarlo, pero al oírlos no podía evitar preguntarse si no se estaría perdiendo algo.

Se sentía de pronto vieja y aburrida. Llevaba un vestido apropiado para una mujer de cincuenta años y no tenía historias emocionantes que contar. A menos que contara la vez que intentaron atracarla al salir de la biblioteca. Llevaba consigo un libro de dos mil páginas, *Historia de la civilización humana* y golpeó con él a su atacante en un lado de la cabeza; el atracador quedó atontado y ella pudo escapar.

Recordaba todavía la adrenalina y la sensación de triunfo que había sentido durante horas. Una sensación que no había vuelto a experimentar... hasta el sábado por la noche en casa de Adam.

Terminó su vaso y volvió a llenarlo de la jarra que había en el mostrador. Ya no tenía sed, pero estaba más cómoda con algo en las manos. Se dispuso a buscar a su acompañante, pero no conseguía encontrarlo. Frunció el ceño y miró la multitud de desconocidos confiando en que no la hubiera abandonado allí. Shondra tampoco estaba por ninguna parte; a lo mejor se habían marchado juntos.

—Saludos —dijo una voz a sus espaldas.

Se volvió y vio a un joven con el pelo naranja. Llevaba vaqueros negros y camiseta también negra con tibias y calavera bordadas en hilo naranja en el bolsillo.

—Hola —Josie miró sus ojos verdes y francos.

—Soy Paul Wodesky, pero todos me llaman Woody.

—Josie Sinclair —ella le estrechó la mano—. Encantada de conocerte.

—Me ha sorprendido verte llegar con Adam. Creía que esta noche vendría solo.

—Ha cambiado de planes.

—Eso veo. ¿De qué os conocéis?

Josie tomó un sorbo de té mientras pensaba cómo responder a esa pregunta.

—Nos tropezamos un día.

—Delaney es un gran tipo —sonrió

Woody—. Un poco estirado a veces, pero, después de todo, ya ha cumplido los treinta.

Josie parpadeó. Adam no le parecía nada estirado, sino todo lo contrario.

—Muy bonito —dijo el chico mirando su vestido—. Muy retro.

—Gracias —ella tomó otro sorbo de té y se preguntó si Adam habría desaparecido porque le daba vergüenza que lo vieran con ella. Se apoyó en la pared—. ¿De qué te ocupas aquí, Woody?

—Trabajo en investigación —repuso él.

Aquello atrajo su interés.

—¿De verdad? Yo soy bibliotecaria de investigación en la Biblioteca Pública.

—¡No me digas! —sonrió él—. Delaney con una bibliotecaria. Eso es lo que yo llamo una combinación curiosa.

Josie decidió ignorar sus palabras.

—¿Qué investigas tú?

—En este momento estoy con la historia de los alucinógenos en la cultura aborigen. Me resulta fascinante, porque los alucinógenos son un hobby nuevo para mí. ¿Tendréis algo en la biblioteca?

—Seguro que encontraré algo —contestó ella con voz un poco pastosa.

—¡Genial! —exclamó Woody—. Me pasaré un día.

Josie asintió y se apartó de la pared. Las rodillas le temblaban un poco y deseó haber comido algo antes de ir al apartamento de Adam. Se excusó con Woody y se acercó a la mesa de la comida, donde tomó un puñado de galletas saladas con queso. Comió despacio, sintiendo la lengua como dormida, y acompañó las galletas con té helado.

Como seguía sin sentirse bien del todo, buscó el cuarto de baño para echarse agua fría en la cara. Echó a andar por un pasillo largo y pensó que había sido una tonta por no pedir a Woody que le indicara el camino.

Empezó a abrir una puerta tras otra, pero encontraba sólo despachos. Cuando llegó a la última, la cabeza le daba vueltas y se apoyó en ella para respirar hondo.

Quizá estaba pillando la gripe. Había un virus en su trabajo. Sintió náuseas y pensó que tenía que buscar a Adam e insistir en que se marcharan.

Abrió la puerta y suspiró defraudada al ver otro despacho. Pero ése tenía una pequeña fuente en un rincón, así que se acercó, con una mano en la pared para no caerse, se arrodilló en el suelo al lado de la fuente y se mojó las mejillas. El agua la refrescó un poco, y también el aire que entraba por las puertas que daban a una terraza.

Se levantó despacio y se acercó allí en busca de aire fresco. Y se encontró con una vista esplendorosa de los tejados de Denver. Y también con Adam y Shondra.

Los dos estaban de espaldas a ella con las cabezas juntas y el brazo de Adam rodeaba la cintura de la directora artística.

—Disculpad —dijo Josie, que se sentía más mareada que nunca.

—Cayó contra la pared, pero volvió a incorporarse, decidida a alejarse lo más posible de ellos.

—¡Josie! —la llamó Adam—. ¡Espera!

Ella no hizo caso y corrió ciegamente hasta el pasillo. Sentía rabia y decepción y no conseguía saber por qué. ¿Por qué reaccionaba así si Adam Delaney no le importaba nada?

Él la alcanzó antes de que llegara al ascensor.

—¿Adónde vas?

—A casa —dijo ella, consciente de que

la gente los miraba—. Quiero irme a casa. Mi Adam no está aquí.

—De acuerdo —repuso él con gentileza—. Te llevo a casa.

—No, iré en taxi —repuso ella, aliviada al ver que al fin se abría la puerta del ascensor—. No te necesito.

—Sí me necesitas —replicó él. La tomó por la cintura y la ayudó a entrar en el ascensor—. Apenas puedes tenerte en pie.

Ella se apartó de él.

—Sólo estoy cansada.

Adam sonrió.

—Estás borracha.

—No he bebido nada en toda la noche —ella se apoyó en la pared del ascensor—. Sólo té.

—Hecho con whisky irlandés y crema de menta —sonrió él—. Es una de las especialidades de Shondra. Trabaja a veces en el bar Alligator, cerca de aquí, donde está especializada en viejas recetas familiares.

Josie levantó una mano y se tocó con cuidado las mejillas y la nariz.

—Eso explica que sienta la cara dormida.

—Un efecto muy común.

—Para mí no —sintió un escalofrío de aprensión. No le gustaba sentirse así, incapaz de controlar su cuerpo. ¿Y si vomitaba o se desmayaba? O peor, ¿y si Adam intentaba aprovechar la situación para seducirla?

Aunque, por otra parte, ¿por qué iba a hacer eso si tenía a Shondra esperándolo en la fiesta? Seguramente estaría deseando dejarla en casa para volver.

—Tomaré un taxi —dijo—. Tú querrás volver a la fiesta.

—Tú no tienes ni idea de lo que quiero —repuso él.

Josie lo miró a los ojos y volvió a sentirse mareada, pero esa vez no podía culpar al alcohol. En su estado actual, fue incapaz de reprimir el impulso de tocarle la cara áspera por el principio de barba. Adam no se movió mientras los dedos de ella recorrían su rostro.

Al fin la joven miró las puertas y vio que estaban abiertas.

—¿Cuándo hemos parado? —preguntó.

—Hace unos minutos —Adam le tomó la mano y la guió hasta la calle—. ¿Puedes andar?

—Claro que sí —repuso ella, aunque un

momento después tropezó con una grieta en la acera y estuvo a punto de caer.

Adam lanzó un suspiro de exasperación y la tomó en brazos.

—Eres increíble, Jo.

—Me llamo Josie —le recordó ella—. E insisto en que me bajes enseguida.

—A mí me parece que no estás en condiciones de insistir en nada.

Cuando llegaron al coche, él la instaló en el asiento del acompañante y se inclinó para abrocharle el cinturón.

Ella inhaló el aroma especiado de su loción de afeitar y sintió el roce de sus brazos en los pechos. Apoyó la cabeza en el respaldo del asiento y lanzó un gemido.

—¿Estás bien? —preguntó él, con ceño preocupado.

—No —repuso ella, más para sí misma que para él—. Creo que nunca volveré a estar bien.

Adam sonrió.

—El té frío de Shondra puede tener ese efecto. Por suerte para ti, yo conozco la cura secreta.

—¿Qué cura es ésa? —preguntó ella, cuando él se sentó al volante.

—Tendrás que confiar en mí.

Adam puso el motor en marcha y salió al tráfico.

¿Cómo iba a poder confiar en él cuando no podía confiar en sí misma? Era peor que el té de menta, ya que podía embriagarla de deseo. Anhelaba sus caricias a pesar de saber que la adicción sólo se haría más fuerte si cedía al deseo.

Lo que implicaba que tenía que encontrar una cura para otro mal peor que la borrachera: el deseo que sentía por Adam.

5

Adam abrió la puerta de su apartamento mientras Josie se apoyaba pesadamente en la pared.

—Deberías haberme dejado que te trajera en brazos.

—Estoy bien —insistió ella.

Entró en el apartamento y se tumbó directamente en el sofá.

A Adam le sorprendía que siguiera consciente después de ingerir tres vasos del té irlandés de Shondra. Sintió una punzada de remordimientos por no haberla prevenido.

Ella levantó la cabeza para mirarlo.

—Aún no comprendo por qué no me has llevado a casa ni me has dejado tomar un taxi.

Adam se arrodilló a su lado y le puso un cojín debajo de la cabeza. Horatio los miraba sentado en el respaldo del sofá.

—Porque no estás en condiciones de quedarte sola —contestó—. Además, ya te he dicho que tengo una cura secreta para prevenir la resaca y todos los ingredientes están en mi cocina.

—Nada que lleve menta —murmuró ella.

Cerró los ojos y él sonrió para sí y se incorporó.

—Cuídala, Horatio.

Entró en la cocina. Había cambiado esa mañana la cerradura del apartamento, pero, aun así, buscó señales de un posible intruso.

Por lo menos sabía que el impostor no le había robado nada, aparte de una cámara vieja. Cole Rafferty, el detective privado, le había dicho esa mañana que nadie había tocado su dinero ni había muestras de que el suplantador se hubiera propuesto arruinarlo o destruir su carrera.

Además, ese hombre había dejado comida en los armarios y los libros de la biblioteca. ¿Lo había hecho adrede? ¿Aquello era también un juego para él?

Cuando llevó el vaso con el remedio a la sala de estar, vio que Josie dormía acurrucada en el sofá. Su trenza estaba deshecha y el pelo rubio sedoso se extendía por el sofá. Tenía las manos dobladas debajo de la mejilla y los labios entreabiertos. Relajada y con la guardia baja, le recordaba a un ángel de Botticelli.

Dejó el vaso en la mesa y fue a buscar su cámara. Ella no se despertó y Adam le hizo fotos desde todos los ángulos. Cuando terminó el carrete, guardó la cámara y pensó que había muchas imágenes de ella que quería captar y estudiar luego con calma.

Horatio saltó a la mesa de café y olfateó el contenido del vaso. Adam lo apartó.

—Lo siento, pero no es para ti.

Al oír su voz, Josie abrió los ojos. Se lamió los labios secos antes de hablar.

—¿Dónde has estado?

Él se sentó a su lado en el sofá y tomó el vaso.

—Todos los grandes inventos llevan tiempo. Toma, bebe esto.

La joven se sentó y miró el vaso con aire de duda.

—¿Qué lleva?

—Creo que es mejor que no lo sepas.

Josie aceptó el vaso, pero lo miró vacilante.

—Algo exótico, supongo. Huevos de cocodrilo o plumas de avestruz.

—Algo así —sonrió él.

—¿Pero menta no?

—Menta no. Y tampoco alcohol. Ni nada venenoso, te lo prometo. Y también te prometo que, si bebes eso ahora, te sentirás mucho mejor por la mañana.

Ella suspiró con resignación y se acercó el vaso a los labios. Arrugó la nariz al empezar a beber, pero no paró hasta que hubo terminado el vaso.

Adam estaba impresionado. La primera vez que a él le habían dado aquella bebida, hecha con zumo de tomate, huevo y algunos otros ingredientes, él había escupido el primer trago.

—Está horrible —declaró ella. Le dio el vaso—. De acuerdo, ya puedo irme a casa.

Adam negó con la cabeza.

—Esta noche te quedas aquí.

—No es necesario —replicó ella, aun-

que se echó de nuevo sobre los cojines—.
Soy muy capaz de cuidar de mí misma.

—Pero apenas puedes andar y mucho
menos conducir. Además, ¿y si los huevos
de cocodrilo te producen una mala reacción?

—La única mala reacción que voy a tener es dolor de espalda si duermo aquí
esta noche.

—Puedes dormir en mi cama.

Los ojos de ella echaron chispas.

—Nunca más.

Aquello sonaba más a reto que a negati-
va, pero Adam decidió que no era el momento de aceptarlo.

—Puedes dormir allí sola y yo me quedo en el sofá.

—No, yo me quedo en el sofá —gruñó
ella—. Estaré bien aquí. Tú vete a la cama.

—Está bien —él tomó la manta de algodón del respaldo del sofá y la cubrió con
ella—, pero antes de irme quiero que sepas que esta noche no has interrumpido
nada en la terraza. Shondra y yo sólo somos amigos.

Josie se ruborizó.

—Tu relación con Shondra no es de mi
incumbencia.

Él le quitó los zapatos y le envolvió la manta en torno a los pies.

—Pues parecía que te enfadabas cuando nos has visto juntos.

—¿Y por qué iba a enfadarme? A mí me da igual a quién seduzcas en la terraza.

—Estaba consolando a una amiga, no seduciéndola. Shondra quería contarle a alguien algunos problemas que tiene con su amante. Su amante femenina.

—Y ha acudido a un experto —dijo Josie con sequedad.

Adam reprimió una sonrisa.

—Ahora hablas como si estuvieras celosa.

Josie lo miró a los ojos.

—Permíteme que deje algo claro. Yo tengo a Adam, mi Adam. No necesito ni quiero ningún otro hombre en mi vida. Es perfecto para mí en todos los sentidos.

—Pero no está aquí —replicó Adam, irritado por la devoción que oía en su voz.

—Si estuviera aquí, no habría dejado que me emborrachara ni se hubiera negado a llevarme a casa cuando se lo he pedido, ni me hubiera dado esa cosa horrible hecha con huevos de cocodrilo y no sé qué más.

—Si tu amante estuviera aquí, le daría un puñetazo en la nariz —declaró Adam.

—¿Quién habla ahora como si tuviera celos? —preguntó ella con suavidad.

—El alcohol te hace alucinar —declaró él. Se inclinó sobre ella—. Buenas noches, Jo.

Ella lo miró con ojos muy abiertos. La oyó respirar con fuerza y adivinó que creía que la iba a besar.

Y tenía razón.

Bajó los ojos a la boca de ella y ansió volver a saborear aquellos labios rosados, pero reprimió el deseo y se limitó a darle un beso casto en la frente.

—Felices sueños —susurró.

El agua la tentaba casi tanto como Adam. Vaciló en la orilla arenosa, donde las minúsculas olas mojaban sus pies descalzos. Adam, con el pelo moreno mojado, le tendía los brazos desde el centro del estanque.

La luz de la luna iluminaba su cuerpo desnudo y ella entró en el agua, más para esconderse de Adam que por otra cosa. Un calor delicioso la envolvió. Chapoteó hacia

Adam, hundiéndose cada vez más en el agua, que primero le llegó a las caderas y luego a los hombros.

Era la primera vez en su vida que se bañaba desnuda y lo encontraba excitante. El agua le llegaba ya al cuello. Adam no se había movido y sonreía con confianza mientras esperaba que llegara hasta él. Pero los pies de ella empezaban a arrastrarse, como si algo tirara de ellos hacia abajo.

Josie dio un paso más, pero ya no había nada sólido bajo ella, sólo agua. Se hundió y no pudo mover las piernas para subir a la superficie. Se hundía cada vez más y quería gritar pidiendo ayuda, pero sabía que era imposible.

También sabía que Adam no podía verla, que tenía que salvarse sola. Pero no podía mover las piernas. Seguía hundiéndose, moviendo salvajemente los brazos en el agua.

Josie se sentó con un respingo y el corazón latiéndole con fuerza.

—Una pesadilla —murmuró—. Sólo ha sido una pesadilla.

Pero parecía tan real, que el terror fluía todavía por sus venas. Josie nadaba bien,

¿pero por qué no podía salvarse en el sueño? Se miró los pies y vio que Horatio dormía encima de ellos, lo cual seguramente explicaba la sensación de no poder mover las piernas.

Apartó al siamés, que gruñó con irritación. Ella puso los pies en el suelo y respiró hondo. La luz del sol entraba ya por la ventana. Había sobrevivido a la noche y a la pesadilla.

—Buenos días.

Miró a Adam, que estaba en el umbral de su dormitorio. Llevaba pantalones de pijama y la misma sonrisa que había visto en su sueño. Retadora. Invitadora. Peligrosa.

Josie se puso en pie.

—¿Qué hora es?

—Casi las ocho.

—¿Las ocho? —repitió ella—. No pueden ser las ocho. Yo me levanto todos los días a las siete.

—Anoche te acostaste tarde —le recordó él—. Y borracha. Es sorprendente que te hayas despertado tan pronto.

—No puedo creerlo —ella se pasó los dedos por el pelo—. Tengo que estar en la biblioteca a las nueves y antes tengo que

pasar por casa para ducharme y cambiarme. No podré llegar a tiempo.

—¿Y no puedes llamar y decir que te
vas a retrasar un poco? O mejor aún, tóma-
te el día libre. Seguro que todavía no te
has recuperado completamente de anoche.

—Estoy bien —replicó ella. Y era cierto.
No le dolía la cabeza ni el estómago. La
cura para la resaca había funcionado—. Yo
me tomo mi trabajo en serio. No es un sitio
al que vaya sólo cuando me apetece.

—Pues dúchate aquí —sugirió él—. La
biblioteca está cerca. Así tendrás tiempo
de sobra.

Josie vaciló. Miró su vestido azul arruga-
do.

—No puedo ir a trabajar con esto.

—Yo te lo plancharé —se ofreció él—.
Planchar es uno de mis talentos.

Aunque a ella le apetecía muy poco
aceptar su oferta, le apetecía menos aún
llegar tarde al trabajo.

—Supongo que no tengo otra opción.

—¿Eso es un sí?

—Sí.

—Hay toallas limpias en el armario del
baño, champú y jabón en el estante de la

ducha. Dame un grito si necesitas algo
más.

Josie entró en el cuarto de baño y cerró
la puerta. Abrió el armario y vio un montón de toallas bien dobladas en los estantes. En otro estante había artículos personales, una botella de una loción de afeitar
cara, un tubo grande de pasta de dientes,
una caja de preservativos enorme. Se preguntó cuánto tiempo tardaría en gastarla.

Una llamada a la puerta la hizo sobre-
saltarse.

—¿Sí?

—Dame el vestido.

Josie se lo sacó por la cabeza y se envolvió en una toalla. Abrió la puerta sólo
una rendija y sacó la mano con el vestido.

—Toma.

—Si quieres compañía en la ducha, será
un placer enjabonarte la espalda —se ofreció él.

Josie cerró la puerta. Adam parecía disfrutar poniéndola incómoda, pero aquél
era un juego al que también podía jugar
ella.

Usó la cuchilla de él para afeitarse las
piernas y veinte minutos después salía de
la ducha sintiéndose mucho mejor. Hasta

que se dio cuenta de que la única ropa interior que tenía eran el tanga y el sujetador de encaje. Lavó el tanga en el lavabo y lo secó con el secador de pelo.

Cuando abrió la puerta, vio su vestido colgado en el picaporte. Lo tomó y volvió a cerrar la puerta. El vestido estaba bien planchado e incluso emanaba un agradable aroma a lavanda.

Se vistió con rapidez, se puso maquillaje del que siempre llevaba en el bolso y se hizo un moño flojo en el pelo. Se miró al espejo y se preguntó qué pensaría Adam de ella. Desde luego, no era tan deslumbrante como Shondra ni como la mayoría de las mujeres que había visto en la fiesta.

—¿Y qué me importa a mí lo que piense? —murmuró para sí.

Cuando llegó a la sala de estar, Adam apareció en la puerta de la cocina con un paño sobre el hombro.

—El desayuno está listo.

—No tengo tiempo —le informó ella. Miró a su alrededor—. No encuentro los zapatos.

—Los he escondido.

Ella lo miró con incredulidad.

—¿Qué?

Adam bajó los ojos por el cuerpo de ella hasta llegar a los pies descalzos.

—Tú me das lo que quiero y yo te daré los zapatos.

6

Josie no podía creer lo que oía. Volvía a hacerle chantaje.

—Quiero los zapatos y los quiero ya —dijo.

Él no se movió.

—Te cambio una tortilla de queso por unos zapatos azules.

Ella no le veía la gracia a la situación.

—¿Me has robado los zapatos?

—Los necesitaba para presionarte. Tienes que comer.

—Tengo que ir a trabajar.

Adam miró su reloj.

—Puedes salir dentro de veinte minutos y llegar todavía a tiempo.

—Si voy descalza, no.

Él sonrió y volvió a desaparecer en la cocina.

Josie no tuvo más remedio que seguirlo.

—¿Nunca te han dicho que eres un mandón?

—Nadie es perfecto —repuso él.

Se acercó a la cocina.

—Lo digo en serio. Primero me chantajeas para que te ayude a buscar a mi novio, luego me emborrachas y ahora me robas los zapatos.

—Yo no te emborraché —replicó él. Pasó la sartén del fuego a la mesa, la colocó encima de un pie de bronce y soltó la tortilla con una cuchara grande.

—Tú me pasaste el vaso de té irlandés que te dio Shondra sin molestarte en decirme que no era té.

Adam asintió con la cabeza.

—De acuerdo, admito que eso fue un error. Pero no lo hice para emborracharte. Pensé que podía ayudar a que te relajaras un poco; estabas muy tensa.

—Yo no necesito relajarme —dijo ella entre dientes—. Y a eso me refería. Tú decides lo que tengo que hacer yo. Y no me gusta nada que me escondas los zapatos.

Se sentó a la mesa y levantó el tenedor. Adam se instaló enfrente de ella.

—Lo he hecho porque sabía que te irías sin comer nada y necesitas echarte algo al estómago.

Josie tomó un mordisco de tortilla y estuvo a punto de lanzar un gemido de placer. Pero no quería darle a Adam la satisfacción de saber lo buena que estaba la comida ni lo hambrienta que se sentía ella. Procuró ir despacio, pero su mitad de tortilla casi había desaparecido antes de que Adam diera el primer mordisco.

—¿Está buena? —preguntó él, con ojos chispeantes.

—Sólo quiero mis zapatos —replicó ella—. Me comería lo que me pusieras con tal de salir de aquí.

Tomó un trago de zumo de naranja.

—¿Conoces el hotel Pines, cerca del parque de Red Rocks? —preguntó él de pronto.

—No. ¿Por qué?

—Porque el jueves por la noche hay una entrega de premios a la que me gustaría que me acompañaras.

Josie lo miró.

—¿Crees que mi novio estará allí?

—Estará toda la profesión. Creo que es muy posible que él también. Sobre todo porque creo que sí estuvo enredando en mi laboratorio.

Ella volvió su atención a la tortilla.

—Lo siento, pero esa noche no puedo. Ya tengo planes.

—¿Planes? —Adam arrugó el ceño—. ¿Y no puedes cambiarlos? ¿Qué puede ser más importante que encontrar a mi impostor?

—Yo tengo una vida propia —ella terminó la tortilla y apartó el plato. El orgullo le impidió pedir más—. El jueves por la noche no me viene bien.

—El banquete no empieza hasta las ocho.

—Mi club del lectura se reúne a las siete y seguro que dura más de una hora.

—¿Club de lectura? ¿Me vas a dejar plantado por un club de libros?

—Para mí es muy importante —repuso ella, algo dolida por su reacción—. Lo monté yo para estudiar a autores británicos y nos reunimos todos los jueves por la noche cuando cierra la biblioteca. Este jueves hablamos de *Orgullo y prejuicio* de Jane

Austen, que casualmente es uno de mis libros favoritos.

—No lo he leído —dijo él—, pero si lleva cien años editado, ¿no podéis dejar la discusión para otra reunión?

—Por supuesto que no.

Él bajó su tenedor.

—¿Seguro que no hay otro motivo para que no quieras venir a esa cena? ¿Seguro que quieres encontrar a tu novio?

—Claro que sí.

—¿Sí? —Adam se inclinó hacia delante—. Mientras mi impostor siga desaparecido, tú no tienes que afrontar que te mintió y puedes seguir fingiendo que habrá una explicación razonable para su comportamiento.

—Yo quiero encontrar a mi novio tanto como tú —repuso ella—. Mejor dicho, más que tú. Porque yo lo quiero mucho.

En la barbilla de Adam se movió un músculo.

—No lo entiendo. Te engaña con todo, incluso su nombre y te sigues mostrando leal con él.

—Sólo quiero darle una oportunidad de explicarse antes de juzgarlo —oportunidad que su padre no había tenido.

Él tomó su plato y lo llevó al fregadero.

—Son casi las nueve. Más vale que te vayas.

Josie se levantó también.

—Necesito los zapatos.

Adam abrió la puerta del horno y los sacó.

—Toma.

La joven movió la cabeza y se los puso. Buscó su bolso en la sala de estar y dudó si volver a la cocina a despedirse, pero optó por marcharse sin más.

—Nos vemos luego, Jo —gritó la voz de Adam, cuando ya estaba en la puerta.

Y la frase sonaba más como una amenaza que como una promesa.

Josie llegó a la biblioteca a las 8:59. Hizo caso omiso de las miradas de sus compañeros, que estaban acostumbrados a encontrarla en su mesa cuando llegaban, pero no pudo ignorar a Evelyn Myerson, quien miró el reloj de la pared y se acercó a su mesa.

—Hay otro mensaje para ti —dijo, ajustándose las gafas.

Josie se sentó en su silla.

—¿Sí?

Evelyn le tendió una nota y se quedó mirando mientras Josie la leía.

Por favor, no me olvides todavía.

El corazón le dio un vuelco.

—¿Esto es todo? —preguntó.

La mujer asintió.

—Le he preguntado si quería dejar su nombre o un teléfono, pero ha colgado antes de que acabara la pregunta.

Era de su novio; no podía ser de nadie más.

—¿Qué tal hablaba?

La directora enarcó una ceja.

—No soy una experta en voces. No era nadie que yo conozca.

—¿Pero ha preguntado por Josie, por Josephine o por la señorita Sinclair? ¿Sonaba alterado o con miedo? —deseaba desesperadamente más detalles. Cualquier cosa que pudiera darle una pista sobre su paradero.

—Ha sido una llamada muy corta. ¿Hay algún problema, Josie?

—No, no. Ninguno.

Evelyn asintió.

—Me alegro. Y ahora, si me disculpas, seguro que las dos tenemos trabajo.

Pero a Josie le resultó imposible concentrarse en otra cosa que la nota que tenía ante ella. Su novio al fin se había puesto en contacto, aunque el mensaje fuera breve y confuso.

Ella no quería olvidarlo ni pensar que era tan malo como decía Adam, pero la había engañado, aunque aquello al menos probara que no la había abandonado.

Se tocó las sienes, donde empezaba a sentir dolor de cabeza. ¿Por qué su novio no la había llamado a casa? Allí habría podido hablar con él.

Cerró los ojos. Aquello no llevaba a ninguna parte. Sólo le quedaba esperar que volviera a tener noticias suyas. Con suerte, quizá tuviera un mensaje en el contestador de casa. Lo comprobaría durante la hora de la comida, pero hasta entonces tenía que intentar olvidarse de Adam Delaney y de él.

O la volverían loca entre los dos.

—Estás en un buen lío.

Ésas fueron las primeras palabras que oyó Adam cuando entró en la redacción de *Adventurer*. Shondra tomaba una chocolatina subida al mostrador.

—¿Dónde está Lucinda? —preguntó él.

—Ha salido a comer. Me he quedado en su puesto.

—¿Y por qué estoy en un lío?

—A mí no me preguntes, pregúntale al jefe. Ha dicho que quiere verte en cuanto pongas los pies aquí.

—A lo mejor me quiere dar un aumento. O subirme las dietas.

—Sigue soñando —la chica terminó la chocolatina y se chupó los dedos—. Ben no está de buen humor. Ni siquiera se ha reído de mi chiste del abogado.

—Porque el chiste es malo.

Shondra hizo una mueca.

—Tú te reíste.

—Porque soy un tipo simpático. Pero como amigo te aconsejo que dejes de contar chistes. Eres malísima.

Ella achicó los ojos.

—Bueno, ya que estamos con consejos, si yo fuera tú iría con cuidado con la mujer que trajiste a la fiesta. Te traerá problemas.

—¿En serio? —preguntó él, curioso—. ¿Por qué dices eso?

—Intuición femenina —Shondra saltó al suelo—. Admítelo. Tú nunca has tenido muy buen gusto para las mujeres. ¿Se puede saber cómo has acabado con alguien como ella?

—Es una larga historia. Y para tu información, tengo muy buen gusto para las mujeres.

Ella se echó a reír.

—No quiero empezar a criticar tu vida amorosa, pero acepta mi consejo y sigue con las pelirrojas tontas. Serás mucho más feliz.

Adam quería discutir esa afirmación, pero Ben Berger, el editor ejecutivo de la revista, eligió ese momento para salir de su despacho.

—Lucinda, llama al maldito Delaney y... —se detuvo al ver a Adam—. Bien, ya estás aquí. ¿Podemos hablar?

—Claro —siguió al otro al despacho—. ¿Cuál es el problema?

—Siéntate, por favor.

Adam lo miró extrañado. Su jefe nunca pedía nada por favor.

—¿Un puro? —preguntó Ben. Le tendió una caja de habanos.

—No, gracias —Adam se recostó en su silla. Ben jamás compartía sus preciosos habanos con nadie, y menos con sus empleados.

—No sé por dónde empezar —dijo el editor—. Sé que siempre has sido sincero conmigo, o por lo menos eso espero. Por eso me preocupa la llamada de teléfono que he recibido esta mañana.

—¿Y tengo que adivinar de qué estás hablando?

Ben lo miró.

—Me ha llamado Howard Walton, de Empire Media. Somos viejos amigos y quería verificar un rumor que había oído.

Hizo una pausa, como esperando que Adam supiera ya por dónde iba. Pero no era así.

—¿Y?

—Y me ha dicho que buscas trabajo —Ben se echó hacia delante y apoyó los antebrazos en la mesa—. Mira, si estás descontento con tu sueldo actual o con tantos viajes...

—Espera un momento —Adam levantó ambas manos—. Yo no busco otro trabajo. Estoy muy contento aquí, aunque no me quejaré si me das un aumento.

Ben hizo una mueca.

—¿Y qué son esos rumores de que te vas a otro sitio?

—No tengo ni la menor... —se interrumpió. ¡El impostor! Ese hombre estaba enviando su currículum a sitios—. ¡Diablos! —exclamó.

—Parece que necesitas una copa —observó Ben. Sé levantó y se acercó al bar.

—No, gracias —Adam quería conservar la cabeza despejada y encontrar al suplantador antes de que hiciera algo que estropeara de verdad su vida—. Lo que necesito es averiguar cómo empezó el rumor. ¿Lo sabes?

Ben se encogió de hombros.

—Howard sólo ha dicho que has enviado tu currículum a sitios. Quería tomar parte en la puja.

Aquello no sonaba demasiado perjudicial, ¿pero hasta dónde estaba dispuesto a llegar el impostor? ¿Se estaba haciendo pasar por él con más gente?

—Dime una cosa —pidió a Ben, que se servía un whisky doble—. ¿Ha habido alguien raro por aquí últimamente? ¿En los tres últimos meses?

—¿Aparte de Woody y el resto de los lunáticos de la revista?

—Sí. Alguien que hiciera preguntas sobre mi trabajo o sobre mí.

El editor negó con la cabeza.

—No que yo sepa. ¿Por qué?

—Por curiosidad —Adam se puso en pie—. Oye, tengo que irme.

—Es cierto. Tienes que prepararte para las fotos de la semana próxima en Nueva Zelanda.

¡Maldición! Había olvidado decirle a su jefe que tenía que posponer el viaje.

—Tengo que retrasar eso.

Ben frunció el ceño.

—Está en la agenda desde hace meses. Esperamos las fotos para el número de septiembre.

—Lo sé, pero no puedo evitarlo.

Su jefe volvió a mirarlo con recelo, pero Adam no quería hablarle del impostor hasta que conociera su identidad.

—¿Cuánto tiempo necesitas? —preguntó Ben.

—No lo sé de cierto. Una semana, dos como mucho. Créeme, me subiré al primer avión en cuanto me sea posible.

El editor movió la cabeza.

—Espero que tengas un buen motivo para aplazar ese viaje.

—Lo tengo —repuso Adam—. De hecho, podríamos decir que mi vida depende de ello.

Salió de la estancia antes de que Ben

pudiera hacer más preguntas. Bajó por el pasillo y entró sin llamar en el despacho de Woody.

—Justo a tiempo —dijo éste, sorprendido por su llegada. Le tendió una cámara digital—. Necesito que me hagas una foto.

—Éste no es un buen momento —Adam miró la cámara con el ceño fruncido—. Y no es una buena cámara.

—Lo sé, pero es una emergencia.

—¿Qué clase de emergencia?

El otro sonrió.

—Acabo de conocer a una chica sensacional en internet y quiere que le envíe una foto. ¿Qué te parece esta pose? —se colocó al lado del ordenador, con una mano apoyada en el monitor.

—La pose está bien, pero la idea es una locura. ¿Y si es una loca?

—Eh, me gusta vivir peligrosamente. Y parece que a ti también, a juzgar por tu cita de anoche.

Woody era la segunda persona que llamaba peligrosa a Josie.

—Has hablado con Shondra.

—No sólo con Shondra. Aquí todo el mundo habla de la mujer que trajiste a la fiesta. No se puede decir que sea tu tipo.

—Yo no tengo un tipo —replicó Adam, irritado.

—¿Y es coincidencia que tus cuatro últimas novias fueran pelirrojas con poco intelecto?

—Y supongo que tu chica de internet es doctorada en Físicas.

—Todavía no es mi chica —sonrió Woody—. Vamos, hazme la foto.

Adam suspiró y miró por la lente.

—Di desesperado.

—Caliente —dijo Woody.

Adam hizo la foto y le pasó la cámara.

—No digas que no te lo advertí.

Woody volvió a sentarse ante el ordenador.

—Estoy casi seguro de que no está loca. Y a pesar de la opinión de Shondra, creo que Josie tampoco. Aunque bebe esos tés irlandeses como si fueran agua. Lo que implica que es mucho más valiente que yo.

Adam había pensado lo mismo cuando la vio tomar de un trago la poción para la resaca. Ella no parecía tener miedo a los retos, sólo a él.

O quizá no era miedo, sino otra cosa. Lo mismo que le hacía negarse a acompañarlo al banquete.

—Necesito información —dijo.

—Entonces soy tu hombre —repuso Woody—. ¿Qué quieres saber?

—Quiero saber si ha venido alguien raro por la redacción mientras he estado fuera.

—«Raro» es un término relativo —Woody empezó a cargar su foto en el ordenador. Su imagen digital apareció poco a poco en la pantalla—. Algunas personas me considerarían raro a mí. ¿No puedes ser más específico?

—¿Un hombre que hiciera preguntas sobre mí o mi trabajo?

Woody pensó un momento y negó con la cabeza.

—Sólo se me ocurre el tipo del seguro.

—¿Qué tipo del seguro?

—Vino justo después de que salieras para Brasil para intentar vender una póliza de alto riesgo a todos los empleados. Le dije que tú eras el único que se podía considerar de alto riesgo, pero que no volverías en tres meses por lo menos.

Adam no podía creer que al fin tuviera una pista.

—¿Qué aspecto tenía?

Woody se encogió de hombros.

—No sé. Corriente.

—Vamos, tienes que darme detalles. Color del pelo, de los ojos, altura, peso. Por lo menos dime si lo habías visto antes o lo has visto después.

Woody se recostó en su silla con aire pensativo.

—A decir verdad, no es la clase de hombre en el que te fijes mucho. Pelo claro, me parece. Ojos verdes... o grises. Y muy corriente. Ni alto ni bajo. Ni gordo ni delgado. Corriente.

Adam suspiró con frustración. Había un millón de personas con esa descripción. Pero al menos era un comienzo y aquello indicaba que el impostor no era nadie de la revista, puesto que Woody no lo conocía.

—¿Y se puede saber por qué te interesa ese hombre?

—Es una larga historia —contestó Adam. Miró su reloj—. Tengo cosas que hacer, te lo contaré en otro momento.

—Y yo te hablaré de la chica de internet —Woody se volvió al ordenador—. ¿Josie irá contigo el jueves al The Pines?

—Puedes contar con ello —repuso Adam.

7

Josie no podía posponerlo más. Hacía quince minutos que tenía que haber empezado la reunión del club de lectura, pero sólo la mitad de las sillas de la sala de reuniones estaban ocupadas. Era su tercer encuentro y Josie temía que pudiera ser el último.

—*Orgullo y prejuicio* es para mucha gente la mejor obra de Jane Austen —empezó a decir con nerviosismo.

Por algún motivo que no podía explicar, las miembros de su club de lectura no terminaban de encajar entre sí. Quizá por lo distinto de sus procedencias. Entre ellas se contaban Helen, profesora de matemáticas jubilada; Ann, secretaria; una peluquera llamada Tina, una mujer fontanera que respondía al nombre de Ronnie, un ama de casa embarazada que se llamaba Nancy y Giselle, que era ayudante de dentista.

Esas mujeres compartían un amor por la lectura, pero hasta el momento sus discusiones habían sido estiradas y formales, sin acercarse para nada a las confidencias fáciles que solían intercambiar mujeres con intereses comunes.

Habían empezado con doce miembros y bajado a seis en el corto periodo de tres semanas. A ese paso, su club de lectura terminaría antes de empezar, algo que Josie no podía permitir, ya que aquél era su proyecto y deseaba luchar por él.

Evelyn había insinuado que si el club de lectura tenía éxito, Josie podía organizar más programas y quizá tendría ocasión de optar al puesto de directora de programas en seis meses más, lo que implicaría un aumento de sueldo y de prestigio.

Pero para eso tenía que conseguir romper la rigidez formal que impregnaba el grupo y crear un vínculo común. Quizá pasaban demasiado tiempo analizando el argumento y los personajes y poco comentando cómo les afectaban las historias.

—Tengo una idea —anunció—. Esta noche vamos a intentar que cada una hable de su parte predilecta del libro.

Las mujeres se miraron entre sí, poco dispuesta ninguna a ser la que empezara. Se abrió la puerta de la sala y todas las cabezas se volvieron hacia allí. Josie se levantó, dispuesta a dar la bienvenida a otro miembro, pero cuando vio a Adam las palabras se congelaron en sus labios.

—Hola —dijo él. Sonrió y se acercó al grupo. Vestía traje negro y corbata azul de seda.

—¿Qué haces aquí? —preguntó Josie, sin poder evitarlo.

—Quiero participar —dejó en el suelo la bolsa de plástico que llevaba en la mano—. ¿Me he perdido algo?

Giselle, la ayudante de dentista, señaló una silla a su lado.

—Estábamos empezando. Por favor, siéntate.

Adam se sentó a su lado y sonrió a la embarazada Nancy, que estaba al otro lado. Ella le devolvió la sonrisa y se presentó. Las demás la imitaron, hablando más que en las tres reuniones anteriores.

Josie lo miró, segura de que había ido a boicotear la reunión.

—Éste es Adam Delaney —dijo con rigidez—. Es un fotógrafo de la revista *Adventurer*.

—¡Qué emocionante! —exclamó Tina—. Es una de mis revistas predilectas.

Varias mujeres más asintieron. Josie notó que la ayudante de dentista había acercado más su silla a la de él. Sabía que estaba allí para estropearle la reunión y que lo acompañara al banquete, pero no se saldría con la suya.

—Vamos a hablar todos de nuestras partes predilectas de *Orgullo y prejuicio* —dijo—. ¿Por qué no empiezas tú, ya que eres el último que ha llegado?

Adam vaciló.

—No quiero acaparar la atención en mi primer encuentro. Prefiero escuchar lo que decís vosotras.

—Estoy segura de que todas queremos oír tu punto de vista —insistió Josie—. Después de todo, has viajado por todo el mundo y fotografiado toda suerte de personas y lugares. Aportarás una perspectiva única a la discusión.

Adam miró al grupo.

—¿Alguien más quiere intervenir?

La mujer fontanera carraspeó.

—A mí me gustan las partes con el señor Collins. No puedo creer que la madre de Elizabeth quisiera que se casara con ese imbécil.

—Es espantoso —asintió la profesora de matemáticas.

—¿Tú qué opinas, Adam? —preguntó Josie.

—El señor Collins es todo un personaje —dijo él.

Josie apretó los dientes. Parecía estar cómodo y se mostraba complacido por aquel intento de boicotearla.

—Mi escena predilecta es cuando Elizabeth recorre tres millas en el barro para visitar a su hermana enferma en casa del señor Bingley —dijo ella—. Creo que ése es un punto de giro para Darcy, que allí empieza a admirarla aunque sus hermanas todavía la critiquen mucho.

—Pero Elizabeth tarda más tiempo en admirarlo a él, ¿no es así? —preguntó Adam.

Josie lo miró sorprendida. Era evidente que había leído el libro o alquilado la película.

—Quiero decir que estaba demasiado enamorada del señor Wickham como para darle una oportunidad a Darcy —continuó él—. Wickham era aún más imbécil que el señor Collins, pero ella no quería verlo.

—Tenía buenos motivos para que al principio no le gustara el señor Darcy —dijo la mujer embarazada—. En el baile le dijo que no era lo bastante guapa para él.

—No se puede juzgar a una persona por la primera impresión que te produzca —dijo Adam—. Elizabeth cometió ese error con Darcy y con Wickham.

Josie carraspeó, consciente de que él no hablaba sólo de la novela.

—Pero Darcy no era totalmente inocente. Mira cómo se le declara. Insulta a su familia y básicamente le dice que se ha enamorado de ella contra su voluntad.

—Cierto —concedió Adam—, pero uno de los motivos por los que ella lo rechaza es porque sigue siéndole fiel a Wickham —movió la cabeza—. Y no lo entiendo. ¿Cómo es posible que una mujer tan lista como ella no capte sus mentiras?

—Porque en ese punto de la historia no tenía motivos para desconfiar de él —declaró Josie—. Cuando se entera de la verdad, lo mira de otro modo. ¿Tú crees que una mujer debe renunciar a un hombre antes de saber toda la historia?

—Yo creo que hay hombres que no merecen tanta devoción —replicó él—. Y Wickham no la merecía. Engañó a Elizabeth desde el principio.

—Y ella pagó un precio por ello —repuso Josie con suavidad—. Ese error hizo que su hermana se fugara con Wickham, lo cual casi destrozó a la familia.

—Pero Darcy acudió en su ayuda —intervino la secretaria. Suspiró—. Ésa es la parte que más me gusta del libro. Cuando Darcy le paga a Wickham para que se case con Lydia y salve a la familia Bennet de la deshonra.

—Eso es muy romántico y una sorpresa maravillosa —dijo la profesora jubilada—. Sobre todo porque Darcy estaba más disgustado que nunca con la familia.

A pesar de la presencia de Adam, Josie estaba ya inmersa por completo en la discusión.

—Yo creo que es una sorpresa porque

Austen escribe el libro desde el punto de vista de Elizabeth —dijo—. Nunca sabemos lo que piensa Darcy. Sólo podemos juzgarlo por sus palabras y sus acciones.

—Y por la opinión que tiene Elizabeth de él —dijo la profesora—, que va cambiando drásticamente con el tiempo.

—¿Crees que eso ocurre en la vida real? —preguntó Adam a Josie.

Ella se ruborizó.

—La vida real no suele ser tan ordenada como la de ficción.

—Pero el desorden puede ser divertido —replicó él—. Sobre todo cuando no sabes lo que va a pasar a continuación —se puso en pie—. De hecho, ahora yo tengo una sorpresa.

—¡Adam! —le advirtió ella, que presentía otro desastre.

Él no hizo caso. Metió la mano en la bolsa que había al lado de su silla y sacó un vestido negro de cóctel sin mangas, elegante y sencillo.

—Es precioso —declaró la profesora de matemáticas—. Es lo que llevaría una estrella de cine.

—Espero que Josie se lo ponga para venir conmigo a una cena de entrega de premios. Está tan dedicada a este club de lectura que no quería perdérselo, pero quizá no os importe que acortemos un poco la reunión.

—Por supuesto que no —declaró Nancy, antes de que Josie tuviera ocasión de abrir la boca. Las demás se mostraron de acuerdo y la alentaron a ir con él.

La había colocado en una posición imposible y lo sabía. Había conquistado al grupo a los cinco minutos de su llegada. Había inyectado vida nueva al club de lectura y lo había transformado con una discusión animada y abierta. Si lo rechazaba, parecería grosera y mezquina. O peor, eso podía ser el golpe de muerte del proyecto que tanto deseaba que tuviera éxito.

Pero por lo menos podía hacerle pagar por ello.

—Iré si Adam promete asistir a nuestro club de lectura todas las semanas a partir de ahora.

Él se encogió un poco, pero se recuperó enseguida.

—No hay nada más que prefiera hacer.

—De acuerdo —sonrió ella, aunque rabiaba por dentro—. La semana que viene hablaremos de *Cumbres borrascosas*, de

Emily Brontë. Estoy deseando oír tus co-
mentarios.

—Y yo los tuyos —repuso él. Le tendió
el vestido.

—Oh, los oirás —le prometió ella—.
Los oirás.

—Ha sido jugar sucio —declaró Josie
cuando salió de la sala de empleados de la
biblioteca.

Había entrado allí a cambiarse mientras
los demás miembros del club de lectura se
dispersaban. La biblioteca cerraba a las
cinco y media los jueves y viernes, por lo
que ya sólo quedaban ellos dos en el edifi-
cio.

Adam abrió la boca para contestar, pero
no pudo decir palabra. Ella estaba guapísima. El vestido resaltaba su figura y mostraba las curvas generosas que ella tanto se
esforzaba por esconder con su ropa habitual.

—¡Genial! —exclamó al fin.

La joven se detuvo y se miró el vestido.

—Demasiado estrecho.

—Es perfecto.

—¿Cómo sabías mi talla?

—La miré el otro día cuado te planché el vestido.

—O sea que no lo hiciste por generosidad —musitó ella—. Tenías otros motivos.

—Entonces no —repuso él. No podía dejar de mirarla. Admiró ahora el modo en que se había recogido el pelo para dejar el cuello al descubierto.

—Pues esta noche sí tenías motivos ocultos —dijo ella. Avanzó hacia la puerta—. No puedo creer que me hayas tendido esta trampa. Sabías que no podía negarme delante del grupo.

—Yo sólo esperaba que cambiaras de opinión —repuso él. La siguió al exterior y miró la caída de la falda.

—¡Y qué remedio! —exclamó ella. Esperó a que saliera y metió la mano para apagar las luces. Luego cerró la puerta con llave.

—Sé que estás enfadada —dijo él—, pero yo también tengo derecho a estarlo. Tu novio parece empeñado en destrozarme la vida.

—¿A qué te refieres? —preguntó ella.

—Hoy me ha llamado mi jefe para decirme que alguien está buscando trabajo con mi nombre. Supongo que adivinas quién puede ser.

Josie se lamió los labios; seguramente intentaba buscar una excusa plausible.

—No me parece que eso sea destrozarte la vida —dijo al fin—. A lo mejor es sólo un malentendido.

—Eres demasiado lista para hacerte la tonta —replicó Adam—. Es evidente que tu novio se sigue haciendo pasar por mí y quiero saber por qué y detenerlo antes de que cause algún daño importante.

—¿Sin importarte el precio?

Seguían en los escalones frontales de la biblioteca y la brisa cálida de la tarde acariciaba los mechones sueltos del moño de Josie. Adam deseaba besarla.

—A cualquier precio —dijo. Se volvió hacia su Camaro y deseó no haberla conocido, pues desde la noche en que ella se metió en la cama, su vida no había sido ya lo mismo.

Y quizá no lo sería nunca.

—Es la última vez que dejo que me arrastres adonde no quiero ir —declaró ella.

—¿Por qué? —preguntó él—. ¿Tienes miedo?

—Por supuesto que no.

—¿Estás segura? Quizá tienes miedo de

descubrir la verdad sobre tu novio —abrió la puerta del coche—. O quizá tienes miedo de mí.

—No te tengo miedo —declaró ella.

—Mejor —repuso él—. Porque no pienso obligarte a nada. Puedes irte ahora, Josie. Encontraré sólo a tu novio.

Ella vaciló y, por un momento, él temió que aceptara su oferta. Al fin negó con la cabeza.

—Ya que hemos llegado hasta aquí, podemos seguir hasta el final. Yo quiero encontrarlo tanto como tú.

Entró en el coche y él dio la vuelta y se sentó al volante con la cabeza llena de dudas. ¿Y si encontrar a su impostor significaba perderla? ¿Y si ella quería seguir con aquel embustero?

La mera idea de imaginarla en brazos de otro hombre hacía que se le encogiera el estómago. Y su reacción le sorprendía, porque nunca había sido celoso, y menos con mujeres a las que no les gustaba.

Tal vez había llegado el momento de hacer algo al respecto. Quizá debería ganársela como había hecho Darcy con Elizabeth. La búsqueda del impostor sería mucho más agradable así. Y no tendría que preocuparse de que volviera corriendo a los brazos de aquel imbécil.

Pero para eso tenía que idear un plan perfecto.

El hotel The Pines se hallaba situado en las colinas de las Montañas Rocosas, al lado del parque Red Rocks, a veinte kilómetros de Denver. Los Red Rocks eran monolitos naturales de piedra caliza que se levantaban alrededor del hotel. En un anfiteatro al aire libre se programaban conciertos a menudo, por lo que The Pines contaba con frecuencia con músicos y artistas de todo el mundo entre sus huéspedes.

Cuando Josie entró en el gran salón del brazo de Adam tuvo la sensación de entrar en otro mundo y se arrepintió en el acto de no haberse maquillado más a conciencia.

—Es aquí —dijo Adam—. El mayor acontecimiento del año para las revistas de temas de aire libre.

La joven detectó algunas caras famosas entre la multitud y más de una mirada de envidia lanzada en su dirección. Pero

Adam parecía ignorar a las mujeres elegantes que los rodeaban y estaba pendiente de ella.

—¿Te he dicho que estás guapísima con ese vestido? —preguntó.

—Sólo dos o tres veces.

—Créeme, vale la pena repetirlo —sonrió él—. ¿Voy a buscar algo de beber?

—Me parece bien —repuso ella—. Lo que sea menos té irlandés.

—¿Un vaso de vino?

—De acuerdo.

—¿Merlot? ¿Chardonnay?

—Sorpréndeme.

Adam enarcó las cejas.

—Pensaba que no te gustaban las sorpresas.

Josie lo miró a los ojos.

—Empiezan a gustarme.

Él miró la mesa vacía.

—No quiero dejarte aquí sola. Woody tiene que estar por aquí.

—No te preocupes por mí, me gustará explorar un poco. Es la primera vez que vengo aquí.

—De acuerdo. ¿Nos vemos aquí dentro de unos minutos?

—Muy bien.

Josie lo miró alejarse hacia la barra, pero antes de llegar lo paró un grupo de jóvenes. Parecía ser muy conocido, por lo que sin duda tardaría tiempo en llegar hasta el bar. Eso le daría a ella el tiempo que necesitaba.

Salió del salón y buscó la boutique de regalos del hotel. Después de pagar un precio abusivo por un frasco minúsculo de gel para el pelo, buscó un cuarto de baño, donde se retocó el maquillaje y se pintó de nuevo los ojos y los labios. Se soltó el pelo, lo peinó, se echó el gel en la mano y lo distribuyó por el pelo con los dedos.

Se enderezó de nuevo y se miró al espejo, donde comprobó que sus rizos naturales parecían haber cobrado vida. El gel caro les daba un aire sexy y revuelto ideal para la ocasión.

Ahora ya podía unirse a la fiesta.

Salió del cuarto de baño y se dirigió de nuevo al salón de baile. En el último escalón de la entrada se detuvo a buscar a Adam. Todavía no estaba en la mesa, aunque allí se encontraba ya Shondra con otra mujer.

Su mirada recorrió despacio la habitación y se posó en la espalda de un hombre vestido de esmoquin. No tenía los hombros tan anchos ni era tan alto como Adam, pero algo en él le resultaba familiar. Él se volvió entonces y ella supo por qué.

—Había encontrado a su novio.

8

Adam no podía encontrar a su acompañante por ninguna parte.

Cruzó el salón de baile y saludó con aire ausente a amigos y conocidos. La había esperado en la mesa, pero la ceremonia iba a empezar en cualquier momento y había salido en su búsqueda.

A lo mejor se había ido a casa. Y no le estaría mal empleado por haber conseguido que lo acompañara con trucos. Pero no había tenido más remedio que hacerlo. Tenía que identificar a su impostor y poner fin a aquel caos. Tres editores de revistas del país habían dejado mensajes es su contestador en los dos últimos días diciendo que les gustaría contratarlo.

Adam había rechazado sus ofertas, pero temía que la cosa no acabara allí. Aquel imbécil había alterado su agenda de viajes, puesto que no podía irse a Nueva Zelanda y dejar que volviera a apoderarse de su vida.

—Hola, Delaney —dijo una voz detrás de él.

Al volverse se encontró con Lou Bailey, el dueño de la tienda de fotografía más grande de Denver. Bailey había patrocinado varias exposiciones en las que había participado Adam y hacía casi cinco años que eran amigos.

—Me alegro de verte —dijo Adam.

Le tendió la mano, pero Lou no se la estrechó.

—¡Ojalá pudiera decir yo lo mismo! Pero sigo esperando que me pagues la cámara de dos mil dólares que cargaste a mi tienda junto con el resto del equipo.

—Yo no he comprado... —se interrumpió. El impostor había atacado de nuevo.

—Mira —dijo Bailey, que procuraba mostrarse razonable a pesar de su tono de enfado—, yo te di crédito en la tienda porque pensaba que eras un hombre de palabra, pero yo no soy un banco. Tengo también cosas que pagar.

—¿Y no te diste cuenta de que no era yo? —preguntó Adam, que empezaba a pensar que quizá su suplantador fuera un maestro de los disfraces, aunque Josie había dicho que ellos dos no se parecían en nada.

—¿Que no eras tú? —gruñó Bailey—. Viniste a la tienda con uno de mis vales de crédito hechos a tu nombre. Yo no estaba allí, pero seguro que mis empleados verificarán su autenticidad.

—No temas, Lou, te pagaré cualquier deuda que tenga contigo —le aseguró Adam—. Te pido disculpas por el malentendido. No volverá a ocurrir.

—Eso espero —Bailey parecía ya más defraudado que enfadado—. Tienes una buena reputación en todo el país, Delaney. No me gustaría que la perdieras.

Se perdió entre la multitud antes de que Adam pudiera responder. Éste miró a su alrededor y se preguntó a cuántas personas más debería dinero. Su problema aumentaba de día en día y cada vez era más necesario que encontrara al suplantador.

Las luces del salón disminuyeron y la actividad en el escenario indicaba que iba a empezar la ceremonia. Seguía sin saber dónde estaba Josie, pero volvió a la mesa, más frustrado que nunca.

No podía encontrar a su impostor ni a su acompañante, pero su instinto le decía que ella aparecería antes o después. Y también le decía que podía confiar en ella.

Josie se acercó al hombre al que no había visto en varios días y que llevaba una bandeja en el brazo izquierdo y recogía vasos vacíos de una mesa.

Cuando se volvió y la vio delante de él, la bandeja se inclinó y los vasos se deslizaron peligrosamente hacia el borde, pero él consiguió equilibrar la bandeja a tiempo de evitar el desastre.

Parpadeó y su nuez subió y bajó por su garganta.

—¿Josie?

—¿Dónde te has metido? —preguntó ella.

Él la miró de arriba abajo.

—Estás fantástica.

—No has contestado a mi pregunta.

Él movió la cabeza despacio.

—Esto es una gran sorpresa.

—Para los dos.

Él se acercó y bajó la voz hasta un susurro ronco.

—Te he echado mucho de menos.

—¿Y por qué no me has llamado? —ella levantaba más la voz a cada palabra—. ¿O enviado un e-mail? Lo único que has hecho ha sido dejar un mensaje misterioso en la biblioteca.

Él vaciló y la tomó del codo con suavidad.

—Ven conmigo y te lo explicaré todo.

Josie se dejó llevar a través del salón hasta la cocina. El corazón le golpeaba con fuerza en el pecho. Había llegado el momento de que su novio le explicara por qué se había hecho pasar por Adam Delaney.

Los chefs y los otros camareros los miraron cuando él tiró de ella hasta una despensa grande y cerró la puerta. Dentro hacía frío y estaba bastante oscuro; la única bombilla desnuda que había creaba sombras alrededor de ellos.

Él dejó la bandeja en un estante vacío y la abrazó.

—Me alegro mucho de volver a verte. Estás guapísima.

La joven se dejó abrazar, aunque no respondió al gesto y se apartó cuando se volvió más íntimo.

—¿Qué está pasando? —preguntó.

Él respiró hondo y movió la cabeza.

—Tengo tantas cosas que contarte, que no sé por dónde empezar.

—Empieza por tu verdadero nombre —sugirió ella.

—Lance —tomó las manos de ella en las suyas—. Lance Golka.

—¿Por qué me mentiste?

Lance cerró los ojos y le apretó las manos con gentileza.

—¡Oh, Josie! ¡He cometido tantos errores! El peor fue no decirte la verdad desde el principio.

—Dime lo que está pasando, por favor —insistió ella, que sabía que no tenían mucho tiempo—. Quiero saberlo todo.

—Adam y yo nos conocemos desde hace tiempo —dijo Lance—. Fuimos compañeros de cuarto en la Universidad de Colorado. Los dos éramos fotógrafos en el periódico de la universidad. Él quería estudiar Derecho y yo Literatura.

Se abrió la puerta de la despensa y el jefe de camareros frunció el ceño.

—Todavía no es hora del descanso, Golka.

—Sí, señor, enseguida salgo.

El jefe de camareros miró a Josie, se enderezó la pajarita y desapareció de nuevo en la cocina.

—En tercer curso, empecé a preguntarse si no me habría equivocado. Me gustaba la fotografía, pero no creía que pudiera ganarme la vida con ella.

—¿Y qué tiene que ver eso con Adam? —preguntó ella.

—Adam quería ir a la Facultad de Derecho de Yale, pero yo le hablé de un concurso de fotografía al que quería presentarme. El primer premio eran mil dólares y la posibilidad de que te dieran trabajo en una de las mejores revistas del país.

—Y Adam participó en el concurso y ganó el premio que tú creías que merecías tú —adivinó Josie.

—Sí y no. Mira, yo no me presenté al concurso. Pensé que no podía ganar y quise ahorrarme esa molestia —su rostro se oscureció—. Pero nunca pensé que se presentaría él. Tenía su vida bien planeada.

—No comprendo —dijo Josie, cada vez más confundida—. Todo eso ocurrió hace años. ¿Qué tiene que ver con que lo suplantes ahora?

—Que Adam lleva la vida que debería haber llevado yo si hubiera tenido agallas —los ojos azules de Lance expresaban angustia—. Hace seis meses me echaron de mi trabajo, Josie. Y era vendedor de coches de segunda mano —movió la cabeza con disgusto—. Entonces empecé a pensar en Adam, en lo perfecta que era su vida gracias a aquel concurso. Ese hombre está viviendo mi sueño.

—¡Oh, Lance! —musitó ella.

La persona que tenía delante le resultaba tan extraña como su nombre. Sólo sentía lástima y decepción, ni rastro de la atracción de otro tiempo.

—Seguramente te parecerá una locura —dijo él. Le soltó las manos—. Pero he seguido la carrera de Adam desde la universidad y lo sé todo sobre él. Sólo quería ver qué se sentía siendo él y viviendo su vida un tiempo. No he hecho daño a nadie.

—¡Ojalá eso fuera cierto! —susurró ella, pensando en la noche que había pasado con Adam. Lance no tenía ni idea de las consecuencias de sus acciones.

Él suspiró.

—Tienes razón. Te he hecho daño a ti —se acercó un paso—. Lo siento mucho, no era mi intención. Cuando te fuiste a Tempe, estaba haciendo acopio de valor para decirte la verdad. Luego Adam volvió antes de lo que esperaba y tuve que salir corriendo.

—Deberías haberme advertido de que no estabas allí —dijo ella.

—Por favor, dime que me perdonarás —imploró Lance, acercándose aún más—. Sé que te he mentido sobre mi nombre y mi identidad, pero nunca sobre mis sentimientos. Tú eres lo único bueno en todo este lío.

—Lance, yo...

—El jefe de camareros metió la cabeza por la puerta.

—Se acabó el tiempo, Golka.

—De acuerdo, ya salgo —miró a Josie—. ¿Y bien?

Ella no sabía qué decir, así que cambió de tema.

—Adam está buscando a su suplantador y yo soy la única persona que conoce que pueda identificarlo. Por eso me ha traído aquí esta noche.

Lance palideció.

—¿Quieres decir que sabe que estoy aquí.

—No. Y tampoco sabe que el suplantador eres tú, pero cree que debe de ser algún conocido del mundo de la fotografía. Por eso creía que había posibilidades de que estuviera aquí esta noche, pero entre los invitados, no entre los camareros.

—Tenía razón —repuso Lance—. Porque después de probar unos meses la vida de Adam, ahora sé que es eso lo que quiero hacer. Por eso he venido a trabajar hoy aquí, para ver si podía hacer algunos contactos.

—Quizá Adam pudiera ayudarte —sugirió ella, aunque dudaba de que fuera tan generoso.

—O meterme en la cárcel —repuso Lance con sequedad—. Mira, tengo que explicárselo todo, pero a su debido tiempo y a mi modo. Necesito tener ocasión de compensarle por todo esto, pero sólo podré hacerlo si me guardas el secreto.

Adam respiró aliviado cuando Josie al fin se acercó a la mesa. Se levantó a sacarle la silla, preocupado todavía por la conversación con Bailey. Cuanto más pensaba en su impostor, más frustrado se sentía.

Se inclinó hacia ella, apenas consciente de que el presentador anunciaba en el escenario las nominaciones para el mejor editor.

—¿Dónde has estado?

Ella lo miró.

—He... perdido la noción del tiempo.

—Pensaba que te habías marchado. Aunque intuía que no era así.

—No —ella tomó su vaso de vino—. Siento haber tardado tanto. He ido a maquillarme y cambiarme el pelo.

—Estás muy guapa.

Sus rizos revueltos le recordaban el aspecto que tenía la mañana después de hacer el amor.

—¿Alguna señal de mi suplantador? —preguntó.

Josie se atragantó con el vino, tomó una servilleta y se la acercó a la boca. Los demás ocupantes de la mesa se volvieron a mirarla.

—No te atragantes por mí —le dijo Ben Berger—. Siempre me nominan y nunca gano. Soy el Susan Lucci del mundo de las revistas.

El editor, de cincuenta y cinco años, iba

acompañado por una becaria de veintiuno y llevaba una chaqueta de cuero negro para parecer joven, pero el tupé mal ajustado estropeaba el efecto.

—Oh, me encanta Susan Lucci —dijo la joven—. Espero estar como ella cuando tenga su edad.

—Sí, se está acercando —sonrió Shondra—. ¿Cuántos años tiene ya? ¿Unos cincuenta?

Ben la ignoró y miró a Adam.

—¿No me vas a presentar a tu acompañante?

Adam la presentó a todo el mundo en la mesa, aunque Josie ya conocía a algunos de la fiesta en la redacción. La mayoría habían llevado acompañantes, aunque Woody iba solo, pues seguía con su amor a larga distancia por Internet.

Cuando anunciaron las nominaciones al mejor artista gráfico, Adam se inclinó para hablarle al oído.

—Espero que esto no te resulte muy aburrido.

—En absoluto —repuso ella—. Nunca había estado en algo así.

—¡Ojalá yo pudiera disfrutarlo! —exclamó él.

Josie arrugó el ceño.

—¿Ocurre algo?

—Creo que la pesadilla del suplantador me empieza a afectar seriamente. Cuando descubra quién es, le voy a retorcer el cuello.

La joven se sobresaltó y volvió su atención al escenario. Adam se maldijo interiormente. Seguramente no era buena idea decirle que quería causarle daños físicos a su novio. Quizá lo mejor que podía hacer era callarse y disfrutar de las vistas.

La vio recostarse en la silla tapizada en terciopelo y admiró una vez más lo bien que le quedaba el vestido. Pero no era su belleza sólo lo que le atraía, ya que él había salido con muchas mujeres guapas. Había algo más.

Poseía una inteligencia que lo divertía y retaba a un tiempo. Y no parecía impresionada por él, cosa que suponía un cambio respecto a las mujeres con las que salía habitualmente, la mayoría de las cuales eran aspirantes a modelo más interesadas en hacer contactos que en conocer al verdadero Adam Delaney.

Y él quería conocer mejor a la auténtica Josie. Sus intereses, sus hobbies, sus amigos y su familia. Ya sabía cuál era uno de sus libros predilectos, ¿pero qué más le gustaba?

Josie se volvió a él y señaló con el dedo una línea del programa.

—No me has dicho que estabas nominado.

Adam se encogió de hombros.

—Lo habré olvidado.

Ella enarcó las cejas.

—¿Qué es exactamente el Premio a la Locura?

Woody se echó a reír al oír la pregunta.

—La revista *Adventurer* gana a menudo en esa categoría. Gracias a Adam.

—¿Y qué es? —preguntó ella de nuevo.

—Es un premio al fotógrafo o reportero que corre el mayor riesgo para conseguir una foto o un reportaje —contestó Shondra.

—¿Qué clase de riesgos? —preguntó Josie.

—Veamos —Woody se frotó la barbilla—. En una ocasión, Adam buceó en un río infestado de caimanes para hacer una foto debajo del agua.

—Otra vez se lanzó en paracaídas en el desierto del Sahara cuando se ponía el sol

—añadió Shondra—. Esa foto estaba muy bien.

—Mi favorita es la foto desde la cima del Everest —señaló Ben—. ¿Sabíais que un veinte por cien de la gente que intenta subir a la cima del Everest no vuelve a bajar?

—Cualquier profesional haría lo mismo —declaró Adam, algo avergonzado.

Shondra puso los ojos en blanco.

—Sí, claro, y cualquier otro profesional posiblemente moriría en el proceso. Por eso tú eres el mejor.

—¿Y por cuál de esas fotos te nominaron para el Premio a la Locura? —preguntó Josie.

—Oh, todas ésas son ganadoras de otros años —explicó Woody, con una sonrisa—. Háblale de la foto de este año.

—Es sólo una foto desde un puente —dijo Adam.

—¿Y? —dijo Shondra.

Adam frunció el ceño.

—Y necesitaba un ángulo decente, así que usé una soga de suspensión.

—Y se colgó todo el rato de la soga —explicó Ben—. A treinta metros debajo de un puente que cruza una garganta de un kilómetro de profundidad.

Josie palideció.

—Eso es una locura.

—Y de ahí el nombre del premio —intervino Woody—. Y por qué Adam gana tantas veces.

Josie lo miró.

—Ningún trabajo vale ese tipo de riesgos.

—¡Eh! —gruñó Ben—. No hablemos así.

—No lo hago por el trabajo —dijo Adam, que quería que ella lo entendiera—. Busco la foto perfecta, la foto que pueda captar la... magnificencia de la vida. Todavía no la he encontrado. Quizá nunca la encuentre.

—O mueras en el intento —repuso ella con suavidad.

Adam se sintió conmovido por su preocupación.

—No tengo deseos de morir —le aseguró—. En todas esas fotos he tomado muchas precauciones.

Ella lo miró con curiosidad.

—¿Y qué sentías cuando estabas colgado encima de la garganta?

—Algo indescriptible —contestó él—. Por eso no puedo imaginarme haciendo ninguna otra cosa. La fotografía es mi pasión. Buscar la foto perfecta es lo que me impulsa a levantarme por la mañana y es con lo que sueño por la noche. Cada día es una nueva aventura.

—¿Y nunca has lamentado la vida que llevas?

—¿Lamentar? —preguntó él, confuso—. No. Ni una sola vez. ¿Por qué iba a hacerlo?

Ella se encogió de hombros.

—Algunas personas no persiguen sus sueños, sino que siguen el camino más seguro y luego siempre se preguntan lo que podría haber sido.

—¿Tú te arrepientes de algo? —preguntó él.

—A veces —repuso ella—. Me gusta mi trabajo en la biblioteca, aunque algún día me gustaría ver mundo. Pero ahora estaba pensando en otra persona.

Levantó la vista hacia un camarero que se acercaba.

Adam lo miró también.

—¿Lance? ¿Lance Golka?

Su antiguo compañero de universidad sonrió.

—A tu servicio.

9

Josie miró fijamente a Lance, sorprendida por su audacia.

—¿Qué haces tú aquí? —preguntó Adam, que se puso en pie y le estrechó la mano.

—Ganarme unos pavos extra —repuso Lance. Miró a Josie y luego de nuevo a Adam—. Veo que sigues trabajando para la revista *Adventurer*.

—Todavía no me han despedido —sonrió Adam—. ¿Y tú qué? No te he visto desde que nos graduamos.

—Oh, yo hago un poco de todo —repuso Lance—. Estoy trabajando en una novela.

—¿La misma que empezaste en la universidad?

Lance asintió.

—Así es. Mi obra magna. Va despacio, pero las obras importantes siempre son así.

Adam miró a Josie.

—Te presento a Lance Golka, mi compañero de cuarto en la Universidad de Colorado. Lance, ella es Josie Sinclair.

La joven se levantó con las rodillas temblorosas. Era el momento ideal para decirle a Adam que tenía delante a su impostor. Pero cometió el error de mirar los ojos de Lance, que le suplicaban en silencio que guardara el secreto.

—Encantado de conocerla —dijo él.

Le tendió la mano y ella se la estrechó.

—Lo mismo digo, señor Golka.

Él sonrió aliviado.

—Adam siempre lleva la mujer más hermosa a las fiestas. Siempre tuviste buen gusto.

Ella se ruborizó.

—Gracias.

—Tengo que volver al trabajo —dijo

Lance—, pero me he alegrado de verte, Adam. Deberíamos quedar para tomar algo un día de éstos —miró a Josie—. Tenemos que ponernos al día.

—De acuerdo —dijo Adam. Sacó una tarjeta del bolsillo de la chaqueta—. Llámame.

—Lo haré —prometió Lance.

Se alejó entre las mesas y Josie volvió a sentarse, sin saber si había hecho bien en guardar el secreto. Pero, después de todo, podía revelar su identidad en cualquier momento y no tenía nada de malo darle ocasión de que se lo dijera él a Adam y quizá incluso salvaran su amistad.

—¿Quién era ése? —preguntó Woody.

—Un antiguo compañero de la universidad —repuso Adam—. Lance Golka. Si estoy aquí esta noche, es por él.

—¿A qué te refieres? —preguntó Shondra.

Adam tomó su vaso de vino.

—Fue él el que me habló del concurso de fotografía que cambió mi vida. De no ser así, ahora sería abogado.

—No hay mucha aventura en eso —musitó Shondra—. Por lo menos yo no he visto a muchos abogados colgados de puentes.

—Pero hay mucha gente que quiere tirar a los abogados desde un puente —rió Ben.

Su acompañante no parecía divertida.

—Mi padre es abogado —dijo.

Ben carraspeó.

—Es una buena profesión.

Josie no oyó el resto de la conversación. Estaba demasiado absorta intentando aclarar su tumulto interior. ¿Cuánto tiempo debería guardarle el secreto a Lance? ¿Y por qué tenía la sensación de estar traicionando a Adam?

La voz del presentador la sacó de sus pensamientos.

—Y el Premio a la Locura es para... —sonó un redoble de tambor por los altavoces—. Adam Delaney, de la revista *Adventurer*.

La multitud empezó a aplaudir. Adam se puso en pie y, en un impulso, se inclinó a besarla. Se alejó hacia el escenario antes de que ella pudiera reaccionar y Josie, sorprendida, se llevó los dedos a los labios.

Mientras lo observaba dar las gracias por el premio, comprendió que, si no tenía cuidado, podía cometer el error de enamorarse de él. Un riesgo merecedor del Premio a la Locura. Un riesgo que no estaba dispuesta a correr.

—Sólo un piso más —dijo Adam, que subía la escalera de incendios detrás de Josie.

—¿Te he dicho que no me gusta la altura? —preguntó ella, agarrada a la barandilla de hierro.

La entrega de premios había terminado quince minutos atrás y había dado paso al baile. A Josie no le apetecía bailar y, al parecer, a Adam tampoco, por lo que sugirió llevarla en una aventura. Ella tenía que haberse negado, pero no pensaba con claridad desde el beso.

—¿En qué piso estamos ahora? —preguntó, un poco sin aliento debido a la subida.

—En el veinticinco —se colocó a su lado en la estrecha escalera—. Sólo faltan tres.

Josie se quitó los zapatos de tacón alto y siguió subiendo a pesar del cansancio.

—Espero que valga la pena.

—La vale —le prometió él. Le tomó la mano y la ayudó el resto del camino.

Al fin llegaron a la parte de arriba de las escaleras. Adam se peleó un momento con la puerta gruesa de acero, pero consiguió abrirla y salieron a la azotea.

Josie miró la vista panorámica de Denver y se quedó sin aliento. Las luces de la ciudad brillaban como un millón de estrellas en el terciopelo oscuro de la noche. Valía la pena la subida.

—¿Te gusta? —preguntó él.

—Es increíble.

—Tú también —Adam la tomó en sus brazos—. Llevo toda la noche queriendo decírtelo.

El cumplido hizo que se sintiera aún más culpable por guardarle el secreto a Lance.

—¿Por qué la escalera de incendios conduce a la azotea? —preguntó, para cambiar el tren de sus pensamientos.

Adam pareció confuso un momento.

—Supongo que por si un incendio bloquea todas las salidas en los pisos más bajos. Aquí arriba hay un helipuerto, por lo que un helicóptero podría rescatar a la gente.

Ella se estremeció. Más por la idea de quedarse atrapada en un incendio que por la brisa nocturna.

—¿Tienes frío? —preguntó Adam.

Josie negó con la cabeza, pero él se quitó la chaqueta y se la puso sobre los hombros. Estaba aún caliente de su cuerpo y ella apretó las solapas contra sí y la olió. El viento revolvía el pelo de él y ella no pudo evitar fijarse en lo magnífico que estaba a la luz de la luna.

Lance Golka jamás podría convertirse en Adam por mucho que lo intentara. Y por mucho que a ella le atrajera Adam, jamás podría ser algo permanente en su vida. Se movían en mundos distintos y no podía engañarse a sí misma como hacía Lance.

Las manos de él descansaban en sus hombros mientras disfrutaban de la vista. Sentía el cuerpo de él contra su espalda.

—Gracias por acompañarme esta noche —dijo.

—De nada.

Era el momento de decirle la verdad sobre Lance. Así podrían seguir caminos separados y no tendría que volver a verlo ni combatir sus traicioneros deseos.

Se volvió a mirarlo y respiró hondo. Pero él la besó y ella emitió un gemido en vez de las palabras que pensaba decir.

Adam la abrazó por la cintura y la estrechó contra sí.

La besó en los labios de nuevo y ella le devolvió el beso con toda la pasión de su corazón, con la pasión que había tenido encerrada desde aquella noche inolvidable en su cama.

Adam gimió también y levantó las manos hasta su rostro para acariciarle las mejillas con ternura. Apartó la boca y susurró:

—Te deseo, Jo. Te necesito.

Acarició la curva del trasero de ella y la levantó en vilo hasta que ella abrazó la cintura de él con las piernas y el vestido le subió por los muslos. La besó y retrocedió hasta que la espalda de ella quedó apoyada en una chimenea de ladrillo.

Le acarició los muslos sin dejar de besarla y ella gimió con suavidad y le desabrochó los botones de la camisa para tocarle el pecho.

Adam echó atrás la cabeza y las manos de ella bajaron hacia el cinturón. Él le sujetó las muñecas contra la chimenea y fue bajando la boca por el cuello de ella.

Josie gimió con suavidad. Él le soltó una de las muñecas paras tirar del vestido hacia abajo y liberar los pechos. La brisa nocturna enfrió los pezones, pero él los calentó con la lengua, primero uno y luego el otro.

A ella le palpitaba todo el cuerpo y sabía que no podría resistir mucho más. Bajó la mano libre a la cremallera del pantalón de él, consciente de que él era el único que podía apagar el fuego que crecía en su interior. Pero algo la hizo vacilar.

El ruido de voces en las escaleras se abrió paso al fin entre la niebla de su deseo. Se apartaron jadeantes y se arreglaron la ropa con rapidez.

Josie se subió el escote del vestido, horrorizada por lo que había estado a punto de ocurrir. Casi habían hecho el amor en la azotea, donde cualquier podía verlos.

Eso era una prueba más de que, en lo referente a Adam, no podía confiar en sí misma. El poder que tenía sobre ella era demasiado grande. Demasiado peligroso.

Se abrió la puerta de la escalera y salieron dos parejas. Los miraron un momento y se alejaron hacia el otro lado de la azotea.

—Creo que deberíamos buscar un lugar más íntimo —susurró Adam, con un brazo en torno a la cintura de ella—. Y cuanto antes mejor.

Lance Golka no había suscitado nunca esa respuesta en ella. Ni él ni ningún otro hombre. ¿Pero era sólo lujuria o había algo más? Sólo había un modo de descubrirlo.

Deseaba tan desesperadamente a Adam, que sentía miedo. Había visto lo que esa clase de desesperación podía hacerle a la gente, lo destructora que podía ser.

Su corazón le decía que se lanzara y corriera el riesgo, pero su cabeza sopesaba las consecuencias. Un hombre como Adam no buscaba compromisos. ¿No había dejado claro esa noche que su trabajo era su vida?

Josie sabía que no podía darle su cuerpo sin entregarle también su corazón. Un corazón que él no le había pedido y que posiblemente no quería. Lo que implicaba que ella seguiría el mismo camino desastroso que sus padres. Se dejaría llevar por la pasión en lugar de por la lógica.

—Creo que debería llamar a un taxi —dijo.

Adam frunció el ceño. Le acarició la mejilla con el pulgar.

—¿Qué te pasa?

Josie se apartó.

—Tengo que irme a casa.

Se dirigió a las escaleras antes de que él le hiciera cambiar de idea.

Adam se acercó y la tomó del brazo para detenerla.

—Josie, espera. Si de verdad es lo que quieres, yo puedo llevarte a casa.

Ella lo miró a los ojos.

—Prefiero tomar un taxi. No he debido venir esta noche, ha sido un error.

—El modo en que acabas de besarme no es ningún error —los dedos de él se cerraron en torno a su muñeca—. No puedes irte ahora.

Josie tragó saliva y buscó las palabras que pudieran hacer que la soltara; aunque para ello tuviera que mentir.

—Yo no debería besar a nadie —dijo—. Ya tengo novio.

Adam palideció y la soltó como si quemara. Ella bajó las escaleras de dos en dos, con la mano en la barandilla para no perder el equilibrio. Pero no tenía que haberse molestado en darse prisa. Adam no la había seguido.

Cuando al fin llegó a la acera y paró un taxi, se dio cuenta de que no llevaba zapatos, que seguían en el piso veinticinco, donde se los había quitado en la ascensión hasta la azotea.

Pensó un momento si volver a por ellos. Pero optó por subir al taxi.

—Olvídate de los zapatos —murmuró para sí—. Olvídate de Adam y olvídate de todo.

10

Al día siguiente, todos los empleados de la revista *Adventurer* descubrieron pronto que era mejor no cruzarse en el camino de Adam. Todos excepto Woody, quien se mostraba asquerosamente contento incluso delante del malhumorado Adam.

—Estoy enamorado —declaró, entrando en el despacho de Adam—. Mira, ¿no es guapísima?

Adam levantó la vista de la cámara desmontada que tenía en la mesa y vio la foto borrosa de una mujer, recién sacada de la impresora en color.

—Es difícil saberlo.

—Es guapísima —insistió Woody—. Y lista, y divertida, y está loca por mí.

—O sólo está loca —murmuró Adam, que limpiaba con cuidado una lente de gran angular—. ¿Cómo sabes que la foto es suya?

—No lo sé —sonrió Woody—, pero lo sabré pronto. Tenemos una cita mañana por la noche.

Adam lo miró.

—¿Vive en Denver?

—En Scottsbluff, Nebraska —le informó el otro—. Es enfermera en el hospital de allí, pero se va a tomar el fin de semana libre para venir a conocerme.

—Pues buena suerte —gruñó Adam.

Él pasaría el fin de semana con Horatio, ya que el gato era la única compañía que podía soportar en ese momento. Por lo menos el gato no le hablaría de Josie. Esa mañana había tenido que soportar que Ben, la becaria y Shondra le dijeran lo bien que les caía ahora que la conocían un poco más.

—Tierra a Adam.

Miró a Woody.

—¿Todavía estás ahí?

—Yo sí, ¿y tú? No, espera, seguro que lo adivino. Tú estabas en el planeta Josie.

—Te equivocas —replicó Adam, que volvió su atención a la limpieza de la cámara.

—Yo creo que no —repuso Woody; se sentó en la esquina de la mesa—. Eso explica tu mal humor de esta mañana. Y ahora que lo pienso, anoche tampoco estabas muy contento. Cuando me marché, estabas en el bar con un whisky en una mano y los zapatos de Josie en la otra. ¿Qué pasó con el resto de ella?

—Se fue a casa.

—¿A casa? —Woody arrugó la frente—. ¿Sola y sin zapatos?

—No me pidas que te explique a las mujeres —repuso Adam.

—Pero tú eres un experto —Woody miró de nuevo la foto que tenía en la mano—. Por eso siempre te pido consejo.

—Sí, soy todo un experto —gruñó Adam.

Woody se echó a reír.

—Puede que tú seas un experto en mujeres, pero yo soy el experto en amor y tienes todos los síntomas clásicos.

Adam hizo una mueca.

—¿Has vuelto a tomar alucinógenos? Porque estás delirando.

—¿De verdad? Nunca te había visto así. Ni tampoco te he visto nunca mirar a una mujer como mirabas anoche a Josie. Además, últimamente no has bebido mucho, hasta que te dejó Cenicienta en el baile.

—Un error que pienso rectificar —declaró Adam—. Esta noche iré al bar Alligator. ¿Te apetece venir?

Woody pasó por alto la invitación.

—Otro síntoma clásico... ahogar tus penas. Dime una cosa. ¿Piensas continuamente en ella? ¿Recuerdas todo lo que dijo y lo que dijiste tú y le buscas significados ocultos? ¿Hay un montón de cosas pequeñas que te la recuerdan constantemente?

—En absoluto —mintió Adam.

Woody se encogió de hombros.

—Puedo estar equivocado.

—Muy equivocado —le aseguró Adam, aunque ahora sabía que se mentía a sí mismo y no sólo al otro.

Todo lo que había dicho Woody era cierto. Se estaba enamorando de Josie. Lo supo la noche anterior, cuando ella mencionó a su novio y él sintió unos celos agudos que no había sentido jamás.

¿Pero por qué se resistía tanto a la idea de enamorarse de ella? Él jamás había huido de un reto y una relación con Josie podía ser la mayor aventura de todas. Ella no era predecible ni aburrida; eran dos polos opuestos, sí, pero se sentía mejor con ella que con ninguna otra mujer de las que había conocido.

Sólo tenía que buscar el modo de convencerla de que debían estar juntos. Y el modo de sacar de la foto al impostor de su novio de una vez por todas.

—Bueno, ha sido un placer —Woody saltó al suelo—, pero voy a volver a trabajar antes de que a Ben le dé un ataque.

Adam también tenía que ponerse a trabajar. Había enfocado mal la situación. En lugar de intentar forzar a Josie a que lo ayudara a encontrar al impostor, tenía que haber buscado el modo de ganarla para su bando. La noche anterior había creído que la respuesta era seducirla, pero había fracasado.

Había llegado el momento de cambiar de estrategia.

El lunes por la mañana, Josie seguía sin estar convencida de haber obrado bien al ocultarle a Adam la identidad de Lance, pero no se arrepentía de haberlo dejado en el tejado. Esa noche había perdido la cabeza, atrapada en el romanticismo de un encuentro sexy bajo las estrellas.

Ahora, a la luz del día, se daba cuenta de que había sido una ilusión. El único motivo por el que Adam la quería a su lado era para que identificara a su suplantador. Sus besos no significaban nada especial. Como todos los hombres, no iba a decirle que no a una mujer deseosa. La noche que había pasado en su cama así lo probaba.

Había perdido los zapatos, pero conservaba su corazón. Había pasado el punto de peligro y vencido la batalla de su deseo por él. Ahora se sentía más fuerte, más segura. Había podido resistirse a los encantos de Adam y a la fuerza de su propia pasión.

Volvió su atención al trabajo y su investigación sobre los antiguos mayas. Hasta que el aroma a jazmín impregnó su olfato. Levantó la vista y vio a un repartidor delante de su mesa, con una maceta en la mano.

—¿Josephine Sinclair?

—Sí.

—Es para usted —dejó la maceta en un rincón vacío de la mesa, sacó una tarjeta de la planta y se la tendió—. Que pase un buen día.

—Gracias —murmuró ella, automáticamente. Miró la letra negra de la tarjeta.

Jo,
El olor del jazmín siempre me recordará a ti. Gracias por ayudarme a buscar al impostor. Sólo te pido una aventura más juntos, un viaje a Pleasant, Valley, en Colorado, para el picnic anual del pueblo. Si mi impostor no está allí, proseguiré con mi vida.
Ven, por favor.
Adam

Josie leyó de nuevo la tarjeta y pasó el dedo con gentileza por el nombre de él. Tenía veintisiete años y ningún hombre le había enviado flores jamás, y menos aún algo tan exótico como un jazmín.

La amabilidad de él la conmovía. Sabía que Adam no encontraría a su impostor en Pleasant Valley, pero aun así podía ser divertido ir con él. Un último coqueteo con su lado salvaje antes de volver a instalarse en su vida confortable y segura.

—¿En qué estoy pensando? —se riñó a sí misma.

Y levantó el auricular con intención de rechazar su invitación.

Adam contestó al primer timbrazo y ya el sonido de su voz le hizo vacilar.

—¿Jo?

—¿Cómo sabías que soy yo?

—Tengo identificador de llamada. El número es de la Biblioteca Pública de Denver.

Ella sonrió.

—Gracias por la maceta de jazmín. Es preciosa.

—De nada.

Josie retorció el cable del teléfono entre los dedos.

—Este fin de semana...

—Será muy divertido —la interrumpió Adam—. Buena comida y buena gente.

Ella vaciló, no muy segura de que debiera correr ese riesgo. Aunque por otra parte, ¿qué mejor modo de probar que era inmune a él? Tal vez fuera el único modo de dejar atrás todo aquello. Y si para entonces Lance no había confesado aún, ella podía decir la verdad y seguir con su vida.

—Suena bien —repuso—. Cuenta conmigo.

—Estupendo. Te recojo en tu casa el sábado por la mañana a las diez. Así llegaremos a tiempo de comer.

Josie no quería colgar, pero no sabía qué más decir.

—Hasta entonces, pues.

—Lo estoy deseando, Jo.

Ella colgó el teléfono y le sorprendió ver que tenía las manos sudorosas. Aceptar una invitación a un picnic no era tan arriesgado como colgarse de un puente, pero una sensación de peligro parecía impregnar el mismo aire que respiraba. Resistirse una vez a Adam había sido difícil. Dos podía ser imposible.

La bibliotecaria jefe pasó por su mesa y se detuvo a admirar la maceta de jazmín.

—¿Dónde has encontrado esta hermosa planta?

—Me la ha enviado un amigo —repuso Josie.

La directora enarcó las cejas.

—Debo decir que tiene muy buen gusto. ¿Lo conozco?

—No sé. Se llama Adam. Adam Delaney.

—Adam Delaney —repitió la mujer—. Ese nombre me suena. ¿Es un cliente habitual?

—No, es fotógrafo en la revista *Adventurer*.

La directora asintió.

—De eso me suena. Hay varios números de esa revista en nuestros archivos —achicó los ojos—. ¿Es el mismo que te gritó aquí la semana pasada?

—No me gritó exactamente, pero sí; ése era Adam.

—Hum —Evelyn arrancó una hoja marchita de la base de la planta—. Veo que intenta redimirse. Y no es un mal comienzo. Acaban de darle un premio, ¿no? Creo que he leído algo así en el periódico.

—El Premio a la Locura al fotógrafo más arriesgado —dijo Josie con un temblor de orgullo en la voz.

La directora se estremeció.

—He visto algunas de sus fotos. En el último número de *Adventurer* viene un reportaje sobre él en una jungla de Centroamérica. Es un milagro que ese hombre siga con vida.

Josie no quería pensar en los riesgos que corría Adam con su vida. En cuanto supiera que su impostor era Lance Golke, se marcharía a otra aventura peligrosa. Se mordió el labio inferior; si ése era el único modo de protegerlo, tal vez lo mejor fuera que no lo supiera nunca.

—¿Ocurre algo? —preguntó Evelyn—. Pareces preocupada.

La joven salió de su ensimismamiento.

—No, estoy bien. Aunque me gustaría cambiar mis horas de trabajo. Me toca venir el sábado, pero ha surgido algo.

Evelyn pensó un momento.

—No creo que sea problema, siempre que lo cambies por otro sábado.

—Por supuesto. Gracias, Evelyn.

Su jefa se inclinó a oler el jazmín y cerró los ojos un instante ante el fuerte perfume de la planta.

—Quizá debas investigar sobre los cuidados del jazmín —musitó—. Colorado no es su entorno natural.

—Lo haré.

Evelyn empezó a alejarse, pero vaciló y se volvió una vez más.

—Ya sé que tu vida personal no es asunto mío, pero...

—¿Sí? —la animó Josie, que era la primera vez que la veía sin palabras.

La directora enderezó los hombros.

—Pero el mundo de las personas como Adam Delaney tampoco es el entorno natural de las bibliotecarias. Por favor, ten cuidado.

Josie asintió.

—Siempre lo tengo.

11

Las expectativas de Josie de pasar una idílica tarde de sábado en un picnic con Adam murieron en cuanto él la recogió esa mañana.

—Creo que ya sé quién es —dijo él, en cuanto se pusieron en marcha.

—¿Quién?

—Mi impostor —se saltó una luz ámbar en un cruce y se metió en la autopista en dirección sur.

Josie se sobresaltó.

—¿Quién crees tú que es?

Adam suspiró.

—Se llama Carter Haywood. Crecimos juntos en Pleasant Valley. Éramos vecinos.

Josie suspiró interiormente de alivio. El secreto de Lance seguía a salvo, y también su parte en él.

—¿Y por qué iba a querer ese hombre apoderarse de tu vida?

Adam se encogió de hombros.

—Por venganza, quizá. En el instituto éramos rivales. Y todo porque pensaba que le había robado a su novia.

—¿Y lo hiciste?

—No, pero Carter no quiso creerme. Estaba enamorado de Lisa Dugan desde siempre. Yo lo sabía y, cuando ella se me insinuó el verano después de graduarnos, la rechacé con gentileza. Pero Lisa no se lo tomó bien y se vengó diciéndole a Haywood que yo había intentado algo con ella.

—¿Y él la creyó?

Adam mantuvo la vista fija en la carretera.

—El amor puede volver loca a la gente.

Dado su pasado familiar, Josie no podía estar más de acuerdo.

—Un momento —dijo, buscando todavía una razón lógica a la sospecha de él—. ¿Cuántos años hace de eso?

—Casi doce.

—¿Doce años? —ella movió la cabeza—. Nadie guardaría rencor tanto tiempo. Carter Haywood no es el impostor.

—Puede que para ti y para mí hayan pasado doce años, pero Carter no lo ha olvidado. En la reunión del instituto del año pasado sacó el tema e incluso intentó darme un puñetazo. Es cierto que los dos habíamos tomado unas cuantas cervezas, pero juró vengarse de mí algún día.

Josie tragó saliva, consciente de que, si Adam acusaba a aquel hombre de suplantarlo, podía haber otra pelea. Pero ella podía evitarlo.

—Yo te diré si es él en cuanto lo vea.

Adam movió la cabeza.

—Ése es el problema. Carter dirige un rancho importante y no podría desaparecer durante meses, pero tiene dinero suficiente para contratar a alguien que lo haga.

—¿Y crees que iría hasta ese extremo con tal de vengarse? Después de todo, sólo era un enamoramiento de estudiantes.

Adam la miró.

—¿Tú crees que yo quiero que sea Carter? La mera idea me da náuseas. Hemos tenido nuestros problemas, pero básicamente es un buen tipo. El problema es que no se me ocurre nadie más que tenga algo contra mí.

Josie pensó en Lance, cuyo rencor era más bien contra sí mismo por no haber seguido sus sueños.

—Créeme —prosiguió Adam—. Me he pasado noches despierto pensando en esto. Carter es el único que puede tener un motivo.

—Pero no lo sabes con seguridad —le recordó ella—. Quizá debas dejarlo correr.

—De eso nada —él apretó los dientes—. Tengo que saber la verdad. Tengo que saber si me ha traicionado.

—¿Y después qué? —preguntó ella con suavidad.

—Después sabré que no podré volver a confiar en él, pero al menos mi vida volverá a ser mía.

Se acercaban a una parte de la autopista en construcción. Señales naranjas advertían del cierre de un carril más adelante.

—¡Maldita sea! —exclamó Adam—. Tenía que haber ido por el otro camino. Le dije a mi padre que estaríamos allí a mediodía.

—¿Le has hablado a tu familia del impostor?

—No, no quería preocuparlos.

—¿Y cómo vas a explicar mi presencia allí?

Adam sonrió.

—Muy sencillo. Eres mi acompañante para el picnic.

Josie no estaba segura de que fuera tan sencillo. Y su promesa a Lance de guardarle el secreto lo hacía aún más complicado. No podía permitir que Adam se enfrentara a Carter Haywood, ¿pero cómo impedírselo sin revelar la verdad?

Quizá contando una parte de su pasado.

—Es bonito que te lleves bien con tu familia —dijo—. Yo no he visto a mi padre en cinco años.

Adam seguía conduciendo a paso de caracol.

—¿Por qué?

—Porque nunca me perdonó que lo metiera en la cárcel.

Adam pisó el freno después de estar a punto de chocar con el coche de delante. Se volvió a mirarla.

—¿Tú metiste a tu padre en la cárcel?

—No a propósito —aclaró ella.

Nunca había contado esa historia a nadie, ni siquiera a Lance. Era demasiado dolorosa, una parte de su pasado que prefería olvidar. Pero no sería un precio muy alto si así impedía que Adam acusara al hombre equivocado.

—Mis padres se divorciaron cuando tenía doce años —explicó—. Porque mi madre se enamoró de otro hombre. A ella le dieron mi custodia y mi padre podía tenerme cada dos fines de semana. Y uno de esos fines de semana no me devolvió a mi madre.

—¿Te secuestró?

—Sí. No fue por maldad, buscaba desesperadamente el modo de llegar a mi madre. Seguía enamorado de ella y quería que volviéramos a ser una familia. Yo también lo quería, pero no me daba cuenta de que lo que hacía era ilegal.

—¿Y qué pasó?

—Llamé a mi madre desde un motel de St. Louis para decirle que estaba bien y que papá había prometido llevarme pronto a casa. No sabía que la policía vigilaba el teléfono de mi madre. Esa llamada hizo que lo detuvieran.

Adam frunció el ceño.

—Tú sólo tenías doce años. ¿Cómo ibas a saberlo?

—Eso no le importó a mi padre. Sigue pensando que lo traicioné, que elegí a mi madre.

Adam apretó el volante con fuerza.

—Hay padres que no se enteran.

—Los míos estaban demasiado inmersos en su batalla como para darse cuenta de lo que eso me hacía a mí. Los dos se dejaron controlar por las emociones.

Él giró la cabeza para mirarla y por un momento Josie pensó que la iba a abrazar y consolar. Cuando no fue así, respiró hondo y se dijo que se estaba volviendo blanda.

—De eso hace mucho tiempo.

—No tienes que hacerte la dura conmigo —repuso él—. Yo no te haré daño.

¡Ojalá hubiera podido creerlo! Pero Josie sabía lo fácilmente que podía destruirla ese hombre. Lo vulnerable que era con él.

—Pero tu acusación puede hacer daño a otras personas —dijo—. Tus padres viven en ese pueblo y supongo que ven a Carter de vez en cuando.

Adam asintió.

—Y yo no tengo pruebas.

La joven suspiró aliviada.

—Cuando encuentres a tu impostor, y

seguro que lo encuentras pronto, puede que te sorprenda descubrir que su motivo para suplantarte no era tan malvado. Tal vez haya una explicación razonable para su acción.

—Ya estás defendiéndolo otra vez —dijo él con sequedad—. ¿Qué puede haber de razonable en suplantar a otro hombre durante tres meses? ¿En usar su nombre, su apartamento y sus logros en beneficio propio?

Josie respiró hondo.

—Tal vez sus acciones no nos parezcan razonables a ti o a mí —admitió—, pero eso no las convierte necesariamente en malas. Mira mi padre. Me secuestró, sí, y mi madre sufrió por ello. Pero ella no parecía darse cuenta de que mi padre también sufría, de que, de no ser así, jamás habría hecho algo tan desesperado.

—¿Y quieres decir que mi impostor podía estar desesperado por algún motivo?

—No lo sé —ella no quería analizar el comportamiento de Lance. No comprendía por qué no había confesado todavía la verdad. ¿Debería darle unos días más antes de romper su promesa de guardarle el secreto?

Si podía convencer a Adam de que no acusara a Carter, esperaría.

—Lo único que sé es que a mi madre le interesaba más la venganza que la reconciliación. Fue ella la que empujó al fiscal a acusar a mi padre.

—¿Y él te culpó a ti?

Josie asintió, con un nudo en al garganta. Una reacción ridícula, ya que todo aquello había ocurrido más de quince años atrás.

—Eso no fue justo —declaró Adam, con rabia—. Tú no tienes la culpa de lo que pasó entre tus padres.

—Puede que no —ella tragó saliva con fuerza para no llorar delante de él—. Mi padre nunca lo dijo claramente, pero sé que le hice mucho daño. Vi lo decepcionado que estaba cuando pensaba que había elegido a mi madre frente a él. Nuestra relación nunca volvió a ser la misma.

Adam le tocó la mano un instante.

—Él se lo pierde.

Josie lo miró. Él se inclinó un poco y le tomó la mano. Ella cerró los ojos y esperó el beso.

Pero el sonido de un claxon detrás de ellos rompió el momento. Adam le soltó la mano y metió la marcha del Camaro. La

larga línea de vehículos empezaba a moverse hacia delante.

Adam, tumbado en la manta, miraba las
colinas enmarcadas por el azul brillante
del cielo y pensaba cuánto tiempo hacía
que no se sentía tan satisfecho. Josie, sentada a su lado, terminaba un trozo de pastel de zanahoria.

—No puedo creer que lo hayas hecho
tú —dijo.

—Ya has probado todos mis talentos cu-
linarios: tortillas y pastel de zanahoria.

El prado estaba lleno de mantas, pues
los habitantes de Pleasant Valley habían
acudido en masa al picnic anual del pueblo. Adam había puesto la comida llevada
por él en la mesa común. Josie había pasado de la carne seca de búfalo y la ensalada
de patatas, pero había tomado dos trozos
de pastel de zanahoria.

Lanzó un gemido y se tumbó a su lado,
con la cabeza apoyada en una mano.

—Estoy llenísima.

—Pues te alegrará saber que el picnic
anual del pueblo va seguido de la siesta
anual del pueblo.

Josie se echó a reír. Miró a la gente que dormitaba a su alrededor.

—Eso es muy tentador.

Adam la miró.

—Tú también lo eres.

El sol arrancaba brillos dorados a su pelo rubio, recogido en un moño apretado. En un impulso, levantó la mano y empezó a quitarle horquillas para soltárselo.

—¡Eh! —protestó ella, intentando detener la cascada de rizos que caía sobre su rostro.

Adam sonrió.

—¿No te he dicho que en los acontecimientos públicos de Pleasant Valley está prohibido recogerse el pelo?

—¿Sí?

—Sí. Pregúntale a mi padre si no me crees.

Josie miró la manta donde estaban los padres de él.

—Creo que están durmiendo.

—O eso o besándose. Yo procuro no mirar por si acaso.

—¿Y por qué no me ha detenido el sheriff si está prohibido recogerse el pelo? —siguió ella la broma.

—Porque estás conmigo. Yo soy muy importante en este pueblo.

—Bueno, pero yo no quiero violar la ley —se ahuecó el pelo con los dedos y se tumbó boca arriba a mirar el cielo—. Por cierto que tú debes tener cuidado con el peso. Creo que has comido cuatro o cinco trozos de pollo.

—Seis —confesó él—. El pollo frito de mi madre es una de mis debilidades.

—¿Tienes más?

—La tarta de merengue y limón —musitó él. La miró—. Los ojos verdes grandes. Las bibliotecarias puritanas.

—Te burlas de mí.

—¿De verdad? —susurró él—. ¿Te gustaría ver mi mayor debilidad?

—No sé —murmuró ella, adormilada—. ¿Dónde tengo que mirar?

Adam se sentó y le tendió la mano.

—Ven conmigo y te lo mostraré.

Ella vaciló un momento, pero se dejó poner en pie antes de soltarle la mano.

—¿Les decimos a tus padres que nos vamos?

Adam miró la manta colocada debajo de un pino enorme donde yacía su padre al lado de su madre.

—No creo que nos echen de menos.

Ella lo siguió por un camino polvoriento.

—¿Adónde vamos?

—Ya lo verás —prometió él. Apartó una rama y la dejó pasar delante.

Volvió a tomarle la mano y esa vez ella no la soltó. Siguieron el sendero, que se metía cada vez más en el terreno rocoso del pie de las montañas. La nieve cubría las cimas de éstas, pero allí abajo hacía calor.

—¿Cuánto falta para esa debilidad tuya? —preguntó ella, un poco jadeante.

La subida era difícil, incluso para alguien como Adam, que se había criado en la zona.

—Ya casi hemos llegado.

Al fin llegaron a una planicie, lo bastante alta para que las mantas tendidas en el prado parecieran baldosas pequeñas. Josie se sentó en una roca plana para recuperar el aliento y disfrutar de las vistas.

—No creo que pueda seguir subiendo.

—No hace falta —anunció él—. Hemos llegado.

Ella miró los pinos y rocas que los rodeaban.

—¿Es aquí?

Él señaló una abertura en la pared de roca.

—Justo ahí. Yo la llamo la Cueva Delaney. De chico era mi escondite secreto. Hay muy pocas personas que sepan que existe.

Ella palideció.

—¿Una cueva? ¿Una cueva oscura, estrecha y claustrofóbica?

Él se echó a reír.

—Para mí es un lugar íntimo y acogedor. ¿Quieres echar un vistazo?

—No estoy segura —repuso ella—. Supongo que es una cueva muy bonita, pero...

Adam sonrió al ver su expresión.

—Pero no te gustan las cuevas.

—Nunca he estado en ninguna —confesó ella—. Y no sé si quiero empezar ahora.

—¿Dónde está tu espíritu aventurero?

Josie enarcó las cejas.

—Me parece que te equivocas de chica.

Adam le tendió la mano.

—Te reto.

Josie sabía que no debía morder el anzuelo, pero se levantó de todos modos.

—De acuerdo. Vamos.

Él la llevó hasta la estrecha apertura en la roca.

—Ten cuidado con las serpientes —dijo.

—¿Serpientes? —Josie se detuvo con brusquedad.

—Serpientes pequeñas —aclaró él—. Inofensivas.

—Pero tú dices que puede haber serpientes ahí dentro, ¿no?

—Sí, pero si entramos, ellas saldrán. A las serpientes no les gustan los humanos.

Josie lo miró.

—Lo último que deseo hacer es echar a una serpiente de su casa.

Adam le puso las manos en la cintura y la atrajo hacia sí. La miró a los ojos y, cuando ella creyó que iba a besarla, apartó las manos y se adelantó.

—Entraré yo delante a inspeccionar —dijo—. Si no hay serpientes, te diré que puedes venir.

Josie lo vio desaparecer en la cueva y se preguntó por qué no la había besado. ¿O quizá era esperar demasiado? Para él coquetear era tan natural como respirar. No significaba nada. Ella no significaba nada.

Volvió a sentarse en la piedra, cansada

por la subida y disgustada consigo misma por sus alucinaciones. Adam sólo la había invitado al picnic para que pudiera identificar a su impostor. Por suerte, había decidido no enfrentarse a Carter Haywood, sobre todo después de enterarse de que estaba prometido en matrimonio y muy enamorado.

Por lo que había dejado de ser útil a ojos de Adam, pero era demasiado educado para ignorarla. Y demasiado caballero para intentar conquistarla.

La posibilidad de que él pudiera notar que lo deseaba le daba náuseas. Podía tener cualquier mujer que quisiera y ese día había dejado claro que no la quería a ella.

Se apartó el pelo de la cara y deseó no haber ido allí ese día.

Adam salió de la cueva y se limpió las manos en los vaqueros.

—La cueva está libre de serpientes y lista para la gira.

—Creo que me saltaré la gira —repuso ella—. De hecho, me gustaría que me llevaras a casa. No me encuentro bien.

Adam frunció el ceño.

—¿Qué te ocurre?

Ella movió la cabeza.

—No lo sé, puede ser algo que he comido. ¿Podemos irnos, por favor?

—Por supuesto.

Le tendió la mano, pero ella fingió no verla y se volvió rápidamente hacia el camino.

De camino al prado, se riñó a sí misma por haber querido ver más en los actos de Adam de lo que en realidad había. Le había dado la mano porque quería ayudarla con el sendero empinado. Le había soltado el pelo sólo para irritarla. Cada vez estaba más convencida de que se engañaba ella sola, de que su pasión por él nublaba su sentido común.

Un error que no volvería a permitirse.

Cuando llegaron al prado, Adam recogió la manta y la cesta de picnic mientras Josie se despedía de sus padres. Eran muy simpáticos, cosa que, por alguna extraña razón, la alteró aún más.

Adam metió la cesta y la manta en el coche mientras ella se sentaba en el asiento del copiloto. Josie se sentía cada vez más enfadada. Enfadada con él por obligarla a entrar en su vida. Y consigo misma, por desear tanto formar parte de ella.

—Siento que no hayamos encontrado al

impostor —dijo cuando él se sentó al volante—. Seguro que lo encontrarás pronto, pero yo no puedo seguir ayudándote.

Adam puso el motor en marcha.

—Creo que deberíamos hablar de esto más tarde, cuando te sientas mejor.

—De acuerdo.

Josie cerró los ojos y apoyó la cabeza en el asiento para eludir cualquier conversación. Sabía que no hablarían de eso más tarde porque no tenía intención de volver a ver a Adam Delaney.

12

Josie se detuvo en la entrada de la sala
de reuniones de la biblioteca, incapaz de
creer lo que veían sus ojos. Adam Delaney
estaba sentado en el círculo de miembros
del club de lectura con un ejemplar de
Cumbres borrascosas en las rodillas. Ella ni
siquiera había considerado la posibilidad
de que volviera por allí.

Habían pasado cinco días desde el viaje
a Pleasant Valley y la había llamado varias
veces desde entonces, pero ella no había
contestado el teléfono ni devuelto las lla-
madas. Había asumido que él había enten-

dido ya la indirecta, pero al parecer se equivocaba.

Enderezó los hombros y entró en la estancia. Lance había pasado el día anterior por la biblioteca para darle su nueva dirección y asegurarle que ese fin de semana se lo contaría todo a Adam. Había ahorrado ya el dinero que le debía para pagarle parte del material fotográfico que había usado en su laboratorio.

Había insinuado también que le gustaría reanudar la relación con ella, pero Josie lo había rechazado con amabilidad. Necesitaba un hombre más valiente que Lance, un hombre que no tuviera miedo de correr algunos riesgos, un hombre como Adam.

Lástima que él no la quisiera.

Evitó su mirada y se sentó en su silla.

—Buenas tardes. Me alegro de veros a todos.

—Yo por poco no vengo —confesó el ama de casa embarazada—. Este libro es muy deprimente.

—*Cumbres borrascosas* es una novela clásica —repuso Josie—. Cathy y Heathcliff nos muestran cómo el choque de pasiones fuertes puede destruir a la gente.

—Porque son idiotas —comentó Adam.

Ella parpadeó.

—¿Idiotas?

—Sí, están enamorados y en vez de buscar una solución a sus problemas, se dedican a empeorarlos.

—Era otra época —intervino Tina, la peluquera—. Una sociedad diferente. Mira cómo describe Brontë las diferencias entre las clases sociales.

—No estoy segura de que ahora sea tan distinto —suspiró la ayudante de dentista—. El amor parece tan complicado como siempre.

Adam miró a Josie.

—No tiene por qué ser complicado. Sólo si tienes miedo de tus sentimientos, como Cathy.

—El problema era Heathcliff —repuso Josie—. Él la hizo desgraciada.

—Sólo porque ella no dejaba de huir de él —replicó Adam.

—Murieron los dos —dijo Helen—. Su pasión los destruyó.

—Eso es lo que puede ocurrir cuando se pierde el control —dijo Josie al grupo en general—. Hay mucha gente que se deja llevar por el corazón en vez de por la cabeza.

—Eso sí que es deprimente —musitó Nancy, la embarazada—. El amor no tiene que ser limpio y ordenado. Puede ser desordenado, impredecible y maravilloso —sonrió y apoyó la mano en su vientre—. Y puede llevar a lugares inesperados.

—Hay personas a las que no les gusta lo inesperado —dijo Adam—. Les gusta planearlo todo hasta el último detalle. Y cuando hay algún cambio en esos planes, les entra el pánico. ¿Verdad, Jo?

Ella lo miró a los ojos, pero no contestó.

—Da igual —dijo él al fin. Se levantó y guardó el libro bajo el brazo—. A lo mejor lo he entendido mal.

—¿Te marchas? —preguntó la ayudante de dentista, sorprendida—. Pero si acabamos de empezar. Y a todas nos resulta fascinante oír hablar de amor desde la perspectiva de un hombre.

—A todas no —contestó él. Se volvió y salió por la puerta.

Josie lo miró marcharse con ganas de ir tras él. Por dentro se sentía tan desolada como los páramos de *Cumbres borrascosas*. Por fuera forzó una sonrisa y procuró fingir que no pasaba nada.

—¿Y qué opináis de Lockwood? —preguntó.

—¿Estás loca? —preguntó Helen—. ¿Vas a dejar que un hombre así salga de tu vida sin decir nada para detenerlo?

—No es tan sencillo —repuso Josie—. No somos... compatibles.

—¡Oh, por favor! —exclamó Tina—. Mi marido y yo somos tan compatibles, que él está dormido en el sofá todas las noches antes de las ocho. En mi opinión, compatible es sinónimo de predecible.

Josie no sabía qué contestar, por lo que intentó volver a la discusión del libro.

—Thrushcross Grange supone un contraste interesante con Cumbres Borrascosas. ¿Cómo creéis que refleja eso el tema de la historia?

—No tengo ni idea —contestó Giselle—, pero el tema de mi vida parece ser que es difícil encontrar un hombre bueno y Adam Delaney me parece muy bueno. Así que, si tú no lo quieres, yo estaré encantada de quitártelo de encima.

—Yo no he dicho que no lo quiera —replicó Josie—. Pero no estoy segura de que me quiera él. Por lo menos para algo duradero.

—Pues a mí me parece que te quiere —dijo Tina—. El otro día te trajo un vestido precioso.

—Y ha venido a nuestro club de lectura —añadió Nancy—. ¿Cuántos hombres ves tú aquí? Y hasta se ha leído el libro.

—Además, sólo hay que verlo para saber que está loco por ti —contribuyó Helen.

Hablaban como si todo fuera muy sencillo y ella pudiera seguir a su corazón sin pensar en las consecuencias, como había hecho su padre. ¿Pero quién era más feliz? ¿Su madre, que había seguido a su corazón a un futuro incierto? ¿O su padre, que se había intentado aferrar al pasado?

Se echó hacia atrás en la silla, sorprendida al darse cuenta de que, al intentar evitar el dolor que había conocido en el pasado, estaba evitando el amor. Lance Golka había sido un hombre seguro porque nunca había corrido el riesgo de enamorarse de él. No como Adam, que no sólo le había tocado el cuerpo la noche que se acostaron juntos, sino también el corazón.

Y por eso había huido de él desde entonces.

—Lo quiero —dijo en voz alta, casi sorprendida—. Estoy enamorada de Adam Delaney.

—Bueno, no nos lo digas a nosotras —sonrió Helen—. Díselo a él.

—Lo haré —anunció Josie, que se sentía mareada, nerviosa y asustada. Pero no importaba. Todo aquello era mejor que no sentir nada.

—Es el mejor encuentro que hemos tenido —declaró Tina—. Estoy deseando que llegue el de la semana que viene.

—Me encanta Dickens —dijo Nancy—. ¿Leemos *Grandes ilusiones*?

Josie asintió.

—Y la semana siguiente, Robinson Crusoe. Quiero añadir aventura a mi vida.

Todas aceptaron con entusiasmo.

Veinte minutos después se disolvía la reunión y se marchaban las mujeres. Josie cerró la puerta principal por dentro y cruzó casi corriendo hacia la puerta de atrás, pero una sombra la sobresaltó de pronto y se llevó una mano al pecho.

Adam apareció delante de ella.

—Tengo algo para ti.

A Josie le latía el corazón con miedo. Con esperanza. Con amor.

—Me has dado un susto de muerte.

—Ese es el problema, ¿verdad? Que te doy miedo y tú no estás dispuesta a vencer esos miedos. Pero no tienes que preocuparte, ya no te presionaré más —le puso una bolsa de plástico en la mano—. Toma.

—¿Qué es eso? —preguntó ella.

—Tus zapatos.

—¿Por eso has venido hoy? —preguntó ella—. ¿Para devolverme los zapatos?

—No —él la miró a los ojos—. He venido porque te echo de menos y pensé que podía convencerte de que dieras una oportunidad a lo nuestro, pero me había engañado. Tú no has dejado de huir de mí desde la mañana en que despertaste en mi cama y creo que es hora de dejarte marchar.

Josie respiró hondo.

—Eso es muy noble de tu parte, pero da la casualidad de que yo no estoy dispuesta a dejarte marchar.

Lo besó en la boca por sorpresa y él se quedó un momento inmóvil, pero luego la abrazó y apretó su cuerpo contra él. La besó con pasión y Josie respondió de igual modo.

Cuando la fuerza del beso la empujó contra una mesa de madera, se tumbó en ella y tiró de él hacia sí. Unos libros cayeron al suelo mientras se desnudaban con rapidez, demasiado frenéticos para ir despacio.

Después de negarse tanto tiempo sus sentimientos, Josie anhelaba sentir. Sentir las manos de él acariciando su cuerpo, sentir su lengua húmeda en los pezones. Gimió y lo abrazó con fuerza, con urgencia.

Su respuesta pareció excitarlo aún más.

—No puedo... esperar —movió la mano entre las piernas de ella—. Mírame, Jo.

La joven abrió los ojos, lo vio inclinado sobre ella y supo que Adam quería que supiera que era él el que le hacía el amor, quería desvanecer para siempre cualquier imagen de su suplantador. No sabía que lo había hecho ya la primera noche que estuvieron juntos.

—Te quiero, Adam —susurró ella en la penumbra—. Mi Adam.

Al oír su nombre, él la penetró y unió sus cuerpos y sus almas en una entidad perfecta. Carne con carne, corazón con corazón. Ella empezó a moverse con él, con la espalda resbalando en la superficie pulida de la mesa. Se agarró a los bordes para sostenerse y el orgasmo llegó deprisa.

Adam acalló sus gritos de placer con la boca y la besó profundamente mientras la seguía al abismo. Más tarde, cuando los dos pudieron respirar de nuevo, la abrazó y se colocó de espaldas, ofreciéndole su cuerpo a modo de almohada.

—¿Te he dicho ya lo emocionante que me parece tu club de lectura de los jueves? —preguntó.

Ella se abrazó a él.

—La próxima semana hablaremos de *Grandes ilusiones*. Y yo tengo algunas propias, así que espero que vengas preparado —abrió mucho los ojos, horrorizada—. ¡Oh, Adam! Hemos olvidado usar preservativo.

Él levantó la cabeza para besarla.

—No, yo me he puesto uno.

—¿Cuándo?

—En el último momento —rió él—. Me parece que estabas demasiado excitada para fijarte en eso.

—Es posible —murmuró ella, con tristeza.

Adam le acarició la barbilla.

—Eh, ¿qué te pasa?

—¿Siempre llevas preservativos encima por si tienes suerte?

—No —repuso él con seriedad—. Lo creas o no, éste lo guardé en la cartera justo antes del picnic. Supongo que esperaba tener ocasión de hacerte el amor en Pleasant Valley.

Josie lo miró.

—Pero allí ni siquiera me besaste.

—Quería que tú dieras el primer paso. Yo intentaba cortejarte.

—¿Llevándome a una cueva? —sonrió ella.

—Allí tenía velas —confesó él—. Y champán. Después de espantar a las serpientes estaba decidido a conseguir que entraras, pero tú dijiste que no te sentías bien y querías irte.

—¡Oh! —exclamó ella con un suspiro—. No puedo creer...

Él le puso una mano en la boca y frunció el ceño.

—Creo que oigo algo.

Josie se quedó inmóvil y se esforzó por escuchar. Captó el ruido de una llave en la cerradura seguido del sonido de pasos.

Adam la estrechó con fuerza, con aire protector.

—¿Quién es? —susurró.

—El hombre de la limpieza —murmuró

ella, horrorizada. Si los descubrían, como mínimo perdería su dignidad, y quizá también su trabajo.

—Vámonos —Adam buscó sus pantalones. La ropa de los dos estaba esparcida por el suelo, con algunas prendas colgando de libros en los estantes. Se vistieron deprisa pero en silencio. El hombre de la limpieza, que se había puesto a silbar, se acercaba cada vez más.

—Necesitamos un plan de huida —susurró Adam.

—Hay una puerta en la parte de atrás —repuso ella. Tomó las sandalias—. Pero nos verá si vamos hacia allí.

—Si lo distraemos no. ¿Preparada para correr?

Josie se imaginó teniendo que explicar aquel incidente a la directora y tragó saliva con fuerza.

—Preparada.

Adam levantó uno de los libros que habían caído al suelo desde la mesa y lo arrojó lejos de ellos. Aterrizó con fuerza en el suelo de linóleo y el ruido hizo que el hombre de la limpieza dejara de silbar.

—¡Eh! —gritó—. ¿Quién hay ahí?

—Corre —susurró Adam.

Josie echó a correr descalza hasta la puerta de atrás. Cuando la cruzó, oyó a Adam detrás de ella.

Los dos siguieron corriendo hasta que llegaron al seto alto que rodeaba el aparcamiento y los ocultaba de la biblioteca.

—Lo conseguimos —musitó ella, jadeante.

Adam le rodeó la cintura con el brazo.

—El pobre hombre pensará que hay un fantasma.

—No creo. Llamará a la policía. No es la primera vez que un vagabundo intenta dormir en la biblioteca. Eso explicará los ruidos.

—Entonces estás a salvo.

Josie lo miró.

—¿Lo estoy?

—Sí. Siempre estarás a salvo conmigo. Te lo prometo.

La joven se inclinó a besarlo y sus pechos rozaron el torso de él.

—Tenemos que salir de aquí —dijo.

Adam le tomó la mano.

—Sígueme.

Ella obedeció, disfrutando plenamente de la aventura de enamorarse.

—Adonde tú quieras.

13

A la mañana siguiente, Josie se despertó en la cama de Adam, la misma donde lo había conocido, pero esa vez no retrocedió horrorizada cuando lo vio dormido a su lado, sino que se acercó más a él para disfrutar del calor de su cuerpo.

Él abrió los ojos y sonrió perezosamente.

—¿Intentas seducirme otra vez?

—¿Funciona? —preguntó ella. Deslizó la mano debajo de la sábana—. Ah, ya veo que sí.

Sonó el timbre y Adam gimió con frustración y miró el reloj.

—Son las siete. Demasiado temprano para visitas. No hagas caso.

—¿Seguro? —preguntó ella, que seguía acariciándolo.

Él volvió a gemir, esa vez de placer.

—Segurísimo.

El timbre sonó de nuevo varias veces seguidas.

Josie detuvo la mano.

—Puede que ocurra algo.

Adam apartó la sábana y salió de mala gana de la cama.

—Seguro que lo que ocurre es que al vecino se le ha acabado la cerveza.

Se puso un pantalón de chándal y se inclinó para besarla.

—No te muevas, vuelvo enseguida.

—Aquí estaré —prometió ella.

Adam sonrió y salió del dormitorio, cuya puerta cerró con firmeza.

Josie entró en el cuarto de baño desnuda, se pasó un peine por el pelo y se lavó la cara.

Cuando volvió al dormitorio, Adam ya estaba allí, pero completamente vestido y atándose las zapatillas deportivas.

—¿Vas a alguna parte? —preguntó ella, confusa.

Él se acercó a ella.

—No era el vecino, es la policía.

—¿La policía? ¿Y qué quieren a estas horas?

—Quieren que responda a unas preguntas. Traen una orden de registro de mi apartamento y van a llevarme a la comisaría.

—¿Por qué?

Adam suspiró.

—Me acusan de hacer fotos pornográficas de chicas menores. Creen que intento vendérselas a varias revistas porno.

Josie parpadeó.

—¿Qué?

Adam abrió la puerta hasta la mitad y apoyó una mano en el borde.

—Mi impostor ataca de nuevo. He intentado explicárselo, pero no me creen. Seguro que podré aclararlo todo en la comisaría.

—Espera...

—La policía se impacienta y tú tienes que ir a trabajar —se acercó a darle un beso—. Te quiero. Volveré en cuanto pueda.

Se marchó antes de que ella pudiera pararlo o decirle que podía demostrar que era inocente porque conocía la identidad de su impostor. Oyó voces de hombre en la sala de estar, pero no consiguió entender lo que decían.

Buscó su ropa, se vistió rápidamente y abrió la puerta del dormitorio, donde tropezó con Horatio y estuvo a punto de caer. El gato maulló y se apartó. Cuando ella llegó a la sala de estar, Adam ya se había ido.

Un desconocido vestido con un traje gris oscuro dirigía el registro, que realizaban un grupo de policías de uniforme.

—Usted debe de ser la señorita Sinclair.

—Sí —repuso ella.

—Soy el inspector Brent. Lamento la intromisión, pero tenemos trabajo.

—Yo puedo facilitárselo —dijo ella—. Cometen un gran error. Adam no es el hombre que buscan.

—¿Y a quién buscamos? —preguntó el inspector con sequedad—. ¿A su impostor?

Era un hombre grande, de pelo moreno que le llegaba hasta los hombros y bigotes anchos. Tenía aspecto de sentirse más cómodo con una chaqueta de cuero que con una chaqueta de traje.

—Sí —contestó ella—. Se llama Lance Golka. Se hizo pasar por Adam Delaney durante tres meses mientras Adam estaba fuera del país. Si hay fotos pornográficas circulando por ahí bajo el nombre de Adam, el responsable es Lance.

El inspector se cruzó de brazos.

—Delaney nos ha dicho que no conocía la identidad de su impostor, que ustedes dos se habían unido para encontrarlo, pero aún no habían tenido éxito.

Josie tragó saliva, consciente de que su historia hacía quedar por mentiroso a uno de los dos.

—Vi a mi novio, bueno, a mi ex novio, la semana pasada en una ceremonia de entrega de premios. Me hizo prometer que guardaría el secreto hasta que pudiera contárselo él mismo a Adam.

—Entiendo. ¿Quiere decir que ese hombre se hizo pasar por Adam Delaney durante meses y nadie notó la diferencia?

—No es tan sencillo —repuso ella—. Lance sólo suplantó a Adam con gente que no lo conocía.

Y Josie pensó que quizá su promesa de confesárselo todo a Adam sólo había sido un truco para ganar tiempo hasta que con-

siguiera sacar dinero de todo aquello. Miró
al inspector y vio que parecía más escépti-
co que nunca.

—Sé que es difícil creerlo, pero Lance
sabía todo sobre la vida de Adam y estoy
segura de que sabía a qué personas tenía
que evitar. No puedo explicar lo que hizo
ni por qué. Yo quería darle el beneficio de
la duda, pero después de esto...

—A ver si lo entiendo —intervino le inspector—. ¿Ese impostor era su novio?

—Sí. Pero yo no sabía que se hacía pasar por Adam Delaney. Creía que él era
Adam Delaney. Hasta que conocí al auten-
tico Adam.

—Y ahora su novio es él —dedujo el
inspector, que miró la puerta abierta del
dormitorio.

La joven se ruborizó.

—Mi relación con Adam no tiene nada
que ver con el hecho de que investigan ustedes al hombre equivocado.

—No se ofenda, señorita Sinclair, pero
esa historia del impostor no tiene mucha
base. Si de verdad existe ese impostor,
¿por qué ninguno de los dos ha informado
a la policía de sus actividades?

—Queríamos arreglarlo nosotros —contestó ella—. Buscarlo antes de que interviniera la policía.

—Bien, pues ahora ya ha intervenido. No se preocupe, comprobaremos su historia y seguramente la llamaremos para hacerle más preguntas. Le sugiero que no salga de la ciudad hasta que se aclare este asunto.

Ella lo miró, consciente de que no quería creerla. De hecho, básicamente insinuaba que ella podía estar también mezclada en el delito.

Salió del apartamento, consciente de que sería inútil discutir con él y de que ella tenía la culpa de todo aquello. Si le hubiera dicho la verdad a Adam cuando vio a Lance en la entrega de premios, nada de eso habría ocurrido.

Ahora sólo quedaba encontrar el modo de pararlo.

Adam entró en la biblioteca tres horas más tarde. Había pasado dos de esas horas intentando convencer a la policía de que el responsable de las fotos pornográficas era su impostor y, cuando empezaron a insinuar que Josie podía estar mezclada en el delito, decidió que había llegado el momento de pedir refuerzos.

Llamó a Cole Rafferty, su investigador privado, y le pidió que fuera a la comisaría a corroborar su historia. Rafferty era un ex policía y, cuando dijo que Adam lo había contratado tres semanas atrás para investigar las actividades de un hombre que lo había suplantado, lo dejaron marchar.

Entonces descubrió que las únicas pruebas contra él eran un sobre lleno de fotos de adolescentes ligeras de ropa. Fotos con unas huellas dactilares que no se correspondían con las suyas.

Había ido a la biblioteca a decirle a Josie que habían retirado los cargos contra él, pero encontró su mesa vacía.

—¿Desea algo? —preguntó una voz a sus espaldas.

Miró a una mujer de edad mediana, con pelo rubio platino y ojos plácidos almendrados. Llevaba un taje gris muy conservador.

—Busco a Josie.

—Usted debe de ser el señor Delaney.

—Así es.

—Lo siento, pero Josie no está aquí.

Él miró su reloj.

—¿No tenía que trabajar hoy?

—Sí, pero ha llamado diciendo que estaba enferma —el rostro de la mujer se suavizó un poco—. Lo cierto es que estoy preocupada por ella. Su voz no sonaba muy bien por teléfono.

—Gracias —dijo Adam—. Iré a ver qué le ocurre.

Diez minutos después, aparcaba delante de la casa de ella y vio que la puerta estaba abierta. En el vestíbulo había un hombre hablando con Josie.

Ese hombre era Lance Golka.

Adam echó a andar hacia la casa pensando qué haría Lance allí. Entonces vio que abrazaba a Josie y adivinó la respuesta; se detuvo en seco.

Había encontrado a su impostor.

—Por favor, Josie —suplicó Lance—. Dame sólo una oportunidad más—. Sé que esta vez puedo hacer que funcione.

Su antiguo novio acababa de abrazarla de tal modo que apenas podía respirar. Después de salir de casa de Adam, había llamado a Lance a su móvil y le había pedido que fuera allí lo antes posible. Su plan era convencerlo de que se entregara a la policía y, para su sorpresa, él accedió sin discutir mucho e incluso le pidió que lo llevara a la comisaría.

Ahora parecía haber cambiado de idea.

—Sé que he metido la pata —dijo él—, pero podemos volver a empezar. Tú y yo solos. Subiremos a mi coche y nos alejaremos de aquí. Te quiero y sé que tú me quieres.

Josie consiguió soltarse y vio Adam de pie en el porche.

—¿Qué pasa aquí? —preguntó éste. Miró a los otros dos—. No, no digáis nada. Creo que puedo adivinarlo.

Lance se colocó ante ella con aire protector.

—Siento que hayas tenido que enterarte así, Delaney. Josie y yo no queríamos hacerte daño.

—Adam, no es lo que crees —dijo ella, saliendo de detrás de Lance.

—¿Quieres decir que él no es mi suplantador?

La joven tragó saliva, asustada por el dolor que veía en sus ojos. No podía seguir mintiéndole.

—Sí lo es.

—Y tú lo sabías desde el principio —la acusó él—. Y me seguiste la corriente fingiendo que odiabas todo esto— la miró con furia—. ¿Meterte en mi cama también era parte del plan?

—Ya basta —dijo Lance—. Josie no tiene la culpa de nada. Sólo puedes culparla de quererme demasiado, lo demás es culpa mía.

Adam dio un paso adelante con los puños apretados.

—Oh, te culpo a ti, Golka. ¿Se puede saber qué narices has hecho con mi vida?

—Sólo quería probar lo que debería haber sido la mía —repuso el otro, que no parecía contrito precisamente—. Tú ganaste el concurso de fotos en el que yo quería participar y conseguiste el empleo con el que yo había soñado. Tu vida cobró sentido gracias a ese concurso y a mí. Y pensé que me debías algo.

Josie miró a su ex novio, consciente de que estaba mostrando una faceta que ella no había visto nunca. Una faceta egoísta y mezquina que le hizo darse cuenta de que había sido una tonta al guardarle el secreto.

—¡Y un cuerno! —gruñó Adam—. Tú

me has robado parte de mi vida y casi arruinas mi reputación y mi trabajo. Y yo no te debo nada.

Josie cerró los ojos.

—Y tú me has robado a mi novia —replicó Lance, levantando la barbilla—. Por lo menos por un tiempo. Así que yo creo que estamos empatados. Puedes quedarte con tu vida, yo sólo quiero a Josie.

—Muy bien. Quédatela —Adam apretó los dientes y se volvió para marcharse.

—¡Espera! —gritó ella.

Lance la sujetó por el brazo.

—Deja que se vaya. Ese hombre no te conviene. Ni siquiera está dispuesto a quedarse y luchar por ti.

Josie consiguió soltarse, pero cuando llegó a la acera, Adam se alejaba ya en el Camaro y ella se quedo de pie en la calle vacía viéndolo distanciarse cada vez más.

Lance se acercó a ella.

—Lo de antes iba en serio. Quiero que empecemos de cero sin mentiras y sin Adam. Creo que podemos conseguirlo.

Josie lo miró sin palabras. Lance le tomó la mano.

—Di que te casarás conmigo.

—No puedo —repuso ella, al fin.

Lance le soltó la mano.

—Lo quieres a él.

—Sí.

—O sea que Adam vuelve a ganar —la miró con frialdad—. Se lleva a mi mujer igual que se llevó mi carrera y mi vida.

Josie quería poder sacarlo de aquel círculo interminable de autocompasión y hacerle ver la verdad.

—¿Cómo podría ser tuya si ni siquiera sabía quién eras en realidad? —preguntó—. Deja de intentar vivir la vida de Adam y empieza a vivir la tuya.

Lance respiró hondo. Movió la cabeza.

—No es tan sencillo.

—Claro que no —dijo ella—. Es difícil, y eso es lo que lo hace emocionante. Si quieres ser fotógrafo, hazlo. Pero con tu nombre y tu talento —se estremeció—. Y con modelos mayores de dieciocho.

—Esas chicas me dijeron que eran mayores de edad —replicó Lance, en su defensa—. Hasta me firmaron unas hojas donde lo aseguraban.

—Pues se las enseñas a la policía y seguramente no presentarán cargos.

—Sí, claro. Adam querrá que me encierren. Está muy enfadado.

Josie había visto su furia. Pero también su dolor, un dolor agudo que ponía reflejos ámbar en sus ojos. Había estado tan preocupada por no sufrir, que no se había dado cuenta del daño que ella podía hacerle a él.

—¿Y qué vas a hacer?

Lance lo pensó un momento.

—Si voy a la policía, ¿vendrás conmigo?

Josie deseaba gritar de frustración; estaba impaciente por ir con Adam.

—Creo que deberías hacerlo solo.

Lance la miró a los ojos.

—Ayúdame a dar este primer paso o puede que pierda valor. Estoy harto de huir, pero no estoy acostumbrado a la otra alternativa.

Josie no podía negarse cuando veía en él tanto de sí misma. Josephine Sinclair también había tenido miedo de vivir hasta que conoció a Adam Delaney. Y a pesar de todo, tenía que agradecerle aquello a Lance. Sin él, jamás habría conocido a Adam.

—De acuerdo —asintió—. Yo te sigo en mi coche hasta la comisaría.

—¿Y qué hago después? Suponiendo, claro, que no me procesen.

—Eso depende de ti —entró en la casa a buscar su bolso.

—Supongo que sí —contestó Lance—. Llevo tantos años deseando ser Adam Delaney que ya no soy quién soy. Quizá haya llegado el momento de averiguarlo.

—Yo tengo fe en ti, Lance —declaró ella—. Y eso es lo único que necesitas. Fe en ti mismo y un poco de suerte.

—Lo sé —Lance sacó las llaves del coche del bolsillo. Se encogió de hombros con resignación—. Creo que yo también debo desearte suerte con Adam.

—Gracias —repuso ella, consciente de que la iba a necesitar.

14

Cuando Josie llegó al apartamento de Adam, estaba frenética. Habían pasado varias horas desde que él se alejara de su casa, ya que la confesión de Lance en la comisaría había llevado más tiempo del que esperaba. El resultado final había sido que ninguna de las chicas ni sus padres pondría denuncia si aceptaba entregar todas las fotografías, negativos y carretes sin revelar.

Lance había aceptado encantado, aunque le sorprendía que Adam no lo hubiera denunciado todavía. Y lo mismo sorprendía a Josie, que no sabía qué pensar. De momento, sólo quería ver a Adam y conseguir que la escuchara y entendiera que lo quería y nunca había pensado hacerle daño.

Llamó al timbre, pero él no contestó. Volvió a llamar, decidida a no marcharse hasta que hubiera podido explicarse.

—Se ha ido —dijo una voz ronca detrás de ella.

Se volvió y vio a un hombre en la puerta del apartamento de enfrente. Tenía una cerveza en la mano y llevaba una camiseta ceñida sobre un vientre protuberante.

—¿Ido? —preguntó ella—. ¿Se refiere a Adam?

—Sí. Se ha ido hace un par de horas. Ha hecho las maletas y se ha ido.

Josie lo miró sin querer creer que aquello podía ser cierto.

—¿Adónde ha ido?

El otro se encogió de hombros.

—No me acuerdo adónde ha dicho. A las Cataratas del Niágara, creo. O a Nairobi. Algo que empezaba por N.

—¿Está seguro?

—¿Por qué iba a mentirle? —dijo el hombre—. Soy un hombre de fiar, aunque

Delaney no haya querido que le cuide el gato y se lo haya llevado con él.

Aquello le daba esperanza. Estaba segura de que Adam no arrastraría a Horatio al otro extremo del mundo.

—Ha dicho que se lo cuidaría una amiga.

—¿No ha dicho nada más?

El vecino se encogió de hombros.

—No. Oiga, ¿tiene una aspirina?

—No —repuso ella, que se apoyó en la pared. Adam había huido y ahora tendría que esperar a que regresara. El retraso la molestaba, pero al menos podría buscar una explicación para haber guardado el secreto de Lance.

—Delaney siempre tenía aspirinas —gruñó el hombre—. Espero que el nuevo que llegue no sea roñoso.

—¿El nuevo? —preguntó Josie—. ¿Qué nuevo?

—El nuevo inquilino. Delaney no volverá.

El hombre se metió en su casa y Josie se quedó sola en el pasillo, intentando asimilar que Adam se había ido de verdad. Después de un momento, el shock dio paso a la frustración. ¿Cómo se atrevía a rendirse tan fácilmente? Ella lo amaba y no iba a permitirle huir.

Nada de eso.

Tres días después, Josie estaba sentada en el aeropuerto internacional de Denver revisando la lista que tenía en la mano cuando el altavoz anunció que ya se podía embarcar en el vuelo para Nueva Zelanda con escala en Nueva York y París.

Se puso en pie y se acercó a la puerta indicada. Miró una vez más la lista que llevaba en la mano para comprobar que no había olvidado nada.

1. Encontrar a Adam.

El viernes por la noche se había acercado a Shondra en el bar Alligator, donde trabajaba de camarera los fines de semana y, aunque al principio ella no había querido decirle el paradero de Adam, terminó por hacerlo cuando comprendió que Josie no estaba dispuesta a rendirse.

Eso había sido lo más fácil. Lo difícil había sido convencerse de que podía afrontar la parte salvaje de la costa oeste de Nueva Zelanda. Adam hacía fotos cerca de la ciudad remota de Harihari y tardaría tres días en llegar allí. Una vez en Queens-town, tendría que alquilar un helicóptero para llegar hasta donde estaba Adam. La preparación del viaje había llevado al segundo punto de la lista.

2. Investigar Nueva Zelanda.

Había pasado el sábado en Internet y en la biblioteca, investigando todos los aspectos del viaje. Había descubierto que el clima en Nueva Zelanda en julio era cálido, por lo que había hecho las maletas de acuerdo con ello. También había estudiado a fondo las plantas y los animales y descubierto que no había serpientes venenosas pero sí muchos mosquitos.

Miró el siguiente punto de la lista.

3. Vaciar las cuentas bancarias.

El coste el viaje de ida y vuelta había agotado prácticamente su tarjeta de crédito. Lo que implicaba que tendría que gastar sus ahorros para pagar los hoteles, la comida, el transporte en Nueva Zelanda y los demás gastos.

Terminó de revisar la lista y se disponía a cruzar la puerta de embarque cuando la detuvo una voz.

—¡Josie!

Se volvió y vio a Evelyn Myerson que

corría hacia ella. La directora había intentado disuadirla del viaje, pero había aceptado darle vacaciones.

—Me alegro de haberte encontrado —dijo sin aliento.

—¿Qué ocurre? —preguntó Josie preocupada.

—Te han llamado a la biblioteca. Una tal Shondra.

—¿Shondra O'Conner? ¿Y qué ha dicho?

Evelyn se acercó a ella y le puso una mano en el hombro.

—Será mejor que te sientes.

Josie sintió miedo.

—Dímelo.

—Ha desaparecido.

—Desaparecido —repitió Josie.

—Al parecer ayer salió para una sesión de fotos sin llevarse un guía —la directora respiró hondo—. Y no volvió.

—Eso no significa que le haya pasado nada —dijo Josie—. A lo mejor quería estar solo.

—Puede —asintió la otra—. Pero no puedes hacer este viaje sin saber lo que te vas a encontrar allí. Creo que es mejor que te quedes aquí y esperes noticias. Shondra opina igual.

Josie no lo dudó ni un momento.

—No puedo quedarme aquí. Quizá Adam me necesite.

Evelyn movió la cabeza.

—No le servirás de mucho si tú también te pierdes. Y tú no tienes ninguna experiencia de sobrevivir en territorio salvaje. Estarías fuera de tu elemento y sólo Dios sabe los peligros que puedes encontrarte.

Josie sabía que la directora tenía razón. Su experiencia se reducía a lo que había leído en libros.

El altavoz anunció en ese momento la última llamada para embarcar con destino a Nueva Zelanda y Josie comprendió que la decisión que tomara en ese instante podía ser de vida o muerte.

Adam llevaba una semana solo, luchando contra los elementos y el terreno duro de la costa oeste de Nueva Zelanda y seguía sin poder quitarse a Josephine Sinclair de la cabeza. Unos días atrás, había escapado de su guía, quien parecía más una niñera que un experto en el terreno y desde entonces acampaba en la ribera del río Whataroa y se decía que lo estaba pasando muy bien.

Pero nunca había sido un buen embustero.

Al contrario que Josie. Aún le costaba creer que lo hubiera traicionado de ese modo, sobre todo después del modo en que habían hecho el amor en la biblioteca. La pasión que había visto en sus ojos no era mentira. Adam conocía bastante a las mujeres para estar seguro de eso.

Por eso entendía aún menos su engaño.

Se subió a una roca para buscar el ángulo ideal para la siguiente foto, metió la mano en la mochila y se colocó un chaleco arnés naranja brillante. Una cuerda de nylon de doble fuerza colgaba del chaleco. Ató el extremo al tronco de un árbol cercano a la roca y probó su resistencia.

Tomó la cámara y se la colgó al cuello. Luego se acercó con cuidado al borde de la roca. Seis metros más abajo caía una catarata, que ofrecía una vista impresionante de la naturaleza en su estado más primitivo. Una niebla húmeda le mojó la cara y tapó la lente de la cámara hasta que estuviera listo para sacar la foto.

Se acercó más al borde, levantó la cámara y ajustó la lente. Sus pensamientos se desviaron una vez más hacia Josie y se preguntó si estaría trabajando en la biblioteca en ese momento. No, más probablemente estaría en la cama, teniendo en cuenta el cambio horario.

O en la cama de Lance.

Resbaló en la superficie musgosa de la piedra y perdió el equilibrio. Luchó por recuperarlo y tendió la mano hacia una rama que colgaba cerca, pero falló y quedó colgado en el aire, balanceándose adelante y atrás en el arnés, que era lo único que le impedía caer a la traicionera catarata.

—Genial —murmuró.

Procuró valorar racionalmente su situación. No tenía buen aspecto. Intentó ampliar el movimiento agarrándose al arnés y moviendo las piernas como hacía de niño en los columpios, pero la cuerda del arnés era demasiado corta para darle impulso suficiente para llegar a la roca. Intentó subir por la cuerda, mano sobre mano, pero el cordón era muy delgado y resbaladizo y no conseguía agarrarse bien.

Siguió pues colgado en el aire y preguntándose si ese año ganaría el Premio a la Locura de modo póstumo. Sonrió por la ironía de todo aquello. Había perdido su concentración pensando en Josie. Él corría

riesgos todos los días, pero a la primera señal de peligro de que podía perder su corazón había salido corriendo. Y ese incidente demostraba que no podía huir de
Josie. Ella estaba en su mente y en su corazón las veinticuatro horas. La quería y no
había dejado de quererla.

Pero era demasiado tarde para decírselo
ya. Merecía un premio, sí, el Premio a la
Cobardía por no haber tenido el valor de
quedarse en Denver a luchar por la mujer
a la que amaba.

A medida que avanzaba el día y seguía
colgado en el aire, empezó a preguntarse
cuánto tiempo podría sobrevivir sin agua y
comida. No había visto un alma en los tres
últimos días, por lo que sabía que las pro-
babilidades de que lo rescataran no eran
muchas. El cansancio pudo con él a media
tarde y empezó a adormilarse a ratos soñando con Josie.

—Adam, ¿estás bien?

Abrió los ojos y la vio de pie en el borde
de la roca. Volvió a cerrarlos porque no
quería despertar y perder la imagen de
ella, tan clara y vívida en su mente.

—¡Adam!

Le pareció que olía a jazmín. Algo le

golpeó el estómago y abrió de nuevo los ojos. La Josie de sus sueños le tiraba trozos de tierra pegada. Uno le dio en la rodilla y otro, más grande, en el codo.

—¡Ah, eso duele! —dijo él. Extendió la mano para frotarse el codo y guiñó los ojos—. ¿Josie?

Seguramente estaba alucinando. Josie no podía estar en Nueva Zelanda y mucho menos en la ribera del río Whataroa.

—¿Estás bien, Adam? —preguntó ella.

Tenía una mochila caqui a la espalda y arañazos en las piernas y los brazos. Llevaba botas gruesas de montaña y un sombrero caqui que ocultaba casi todo su cabello rubio.

—Me duele un poco el codo, pero nada más —en su mente empezaba a abrirse paso la posibilidad de que ella no fuera una ilusión—. Un poco colgado en este momento.

—Eso no tiene gracia —lo riñó ella—. No puedo creer que hagas algo así sólo por una estúpida foto. A partir de ahora, no podrás correr esos riesgos con tu vida.

—¿Quién lo dice? —preguntó él.

—Yo —repuso ella. Cruzó los brazos con terquedad—. Necesitas a alguien que cuide de ti. En mi mochila hay crema para el sol, repelente antimosquitos, vendas, agua, vitaminas y aspirinas...

—¿Cómo me has encontrado? —preguntó él, interrumpiendo su letanía.

—Tu guía encontró tu rastro dos días después de que lo abandonaras —repuso ella—. El pobre hombre se acerca todas las noches aquí para ver cómo estás.

—¿Pero qué haces tú aquí?

El rostro de ella se suavizó.

—Estoy aquí porque te quiero. Te seguiré a todas partes si es preciso, sólo para tenerte a salvo.

—¿Y qué hay de Lance?

Ella se acercó un paso más al borde.

—Lo vi en la ceremonia de premios, donde me pidió que le dejara que fuera él el que te contara la verdad. Creí que podía confiar en él, pero me equivoqué.

—¿Y no estás enamorada de él?

—Sólo quiero a un hombre —sonrió ella—. A ti. Y no dejaré de decírtelo hasta que te lo creas, aunque tenga que seguirte al Himalaya, por el Nilo o cruzar el desierto del Sahara en camello.

—¿Me seguirás a Okariko? —preguntó él con suavidad—. Está a unos treinta kilómetros al sur de aquí.

Los ojos de ella se llenaron de lágrimas.

—Te seguiré a todas partes. ¿Pero por qué quieres ir a Okariko?

—Porque creo que es un buen lugar para una luna de miel —dijo él sonriendo.

Josie sonrió también.

—Te quiero mucho —dijo.

—Pues bájame de aquí.

Ella tomó un rollo de soga que él había dejado en el suelo y le lanzó un extremo. Adam subió por ella, una mano delante de la otra, hasta donde estaba la joven. Cuando sus pies tocaron suelo firme, ella lo abrazó.

—Ahora te tengo donde quería —dijo.

—Espera —él se apartó, se sacó la cámara por la cabeza, preparó el cronómetro y colocó la cámara en un saliente delante de ellos.

Volvió corriendo al lado de ella y se tocó la barba de tres días que le cubría la barbilla.

Josie lo miró con la cara sucia de tierra y sudor.

Adam la abrazó y la miró a los ojos.

—Después de tantos años, al fin he logrado lo que he buscado toda mi carrera, lo que me ha llevado por montañas y barrancos de todo el mundo.

—¿Qué es eso? —preguntó ella con curiosidad.

—La foto perfecta —repuso él.

La cámara hizo en ese momento una foto de los dos abrazados. Una foto que duraría siempre... igual que su amor.

Para **Michelle Reid** la lectura siempre ha sido una parte fundamental de su vida, y cuando descubrió la novela romántica fue cuando decidió probar suerte como escritora. Nunca, ni en sus mejores sueños, hubiera podido imaginar que escribir novelas románticas se convirtiera en algo tan importante para ella, ni que el éxito pudiera sonreírle de semejante manera.

SUS MEJORES NOVELAS DE AMOR

Venganza italiana

Catherine sabía que Vito Giordani nunca la había perdonado por poner fin a su matrimonio y marcharse de Italia con su hijo. Cuando se enfrentó a Vito por los planes que supuestamente él tenía para volver a casarse, le ordenó a Catherine que volviera a Nápoles para retomar su papel de esposa y madre. Su hijo, al que ambos adoraban, volvería a tener a sus padres juntos a su lado. Y Vito llevaría a cabo la venganza que llevaba tanto tiempo esperando...

Seducción latina

Giancarlo Cardinale estaba decidido a vengarse. Creía que Natalia Deyton se había acostado con el marido de su hermana, y su sangre siciliana le exigía que la sedujera para conseguir venganza. El problema era que Giancarlo no estaba preparado para hacer frente a la inocencia de Natalia... o a su seductora belleza. Aunque era consciente de que se estaba enamorando por primera vez en su vida, para él la familia era lo primero, así que no tenía otra elección más que seguir adelante con su plan.

FANTASÍAS EN EL DORMITORIO
Rebecca York

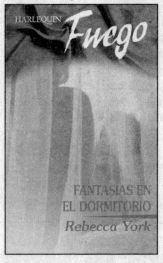

A la columnista Amanda O'Neal le gustaba aconsejar a sus lectores sobre su vida sexual. Después de todo, la suya propia no había sido gran cosa últimamente.

El detective privado Zachary Grant se presentó de improviso con algunas preguntas sobre la predecesora de Amanda, pero muy pronto quiso saber más sobre ella misma: ¿cuáles eran sus fantasías? ¿Y podría ayudarlo con alguna terapia personal?

Amanda se vio tentada por la propuesta. Además, Zach no era como los otros hombres que había conocido. Pero ¿podrían afrontar ambos la mañana del día después?

Las fantasías sexuales eran su trabajo... ¿por qué no hacerlas realidad?